Morgane

Tome 3
Starlette américaine

LES ÉDITIONS DES INTOUCHABLES
512, boul. Saint-Joseph Est, app. 1
Montréal (Québec)
H2J 1J9
Téléphone: 514 526-0770
Télécopieur: 514 529-7780
www.lesintouchables.com

DISTRIBUTION: PROLOGUE
1650, boul. Lionel-Bertrand
Boisbriand (Québec)
J7H 1N7
Téléphone: 450 434-0306
Télécopieur: 450 434-2627

Impression: Marquis Imprimeur inc.
Conception graphique: Marie Leviel
Illustration de la couverture: Marie Leviel
Direction éditoriale: Marie-Eve Jeannotte
Révision: Élyse-Andrée Héroux, Corinne De Vailly
Correction: Élaine Parisien

Les Éditions des Intouchables bénéficient du soutien financier
du gouvernement du Québec — Programme de crédit d'impôt
pour l'édition de livres — Gestion SODEC et sont inscrites
au Programme de subvention globale du Conseil des Arts du
Canada.

Nous reconnaissons l'aide financière du gouvernement du
Canada par l'entremise du Programme d'aide au développement
de l'industrie de l'édition (PADIÉ) pour nos activités d'édition.

Membre de l'Association nationale des éditeurs de livres.

Société de développement des entreprises culturelles
Québec ◼◼ ◼◼

ASSOCIATION NATIONALE DES ÉDITEURS DE LIVRES

Conseil des Arts du Canada
Canada Council for the Arts

Dépôt légal: 2010
Bibliothèque et Archives nationales du Québec
Bibliothèque nationale du Canada

ISBN: 978-2-89549-424-9

ANNIE LAVIGNE

Tome 3

Starlette américaine

LES INTOUCHABLES

1

New York, New York, 17 août

Une dizaine d'heures plus tôt, je quittais l'Autriche, où s'était achevée mon incroyable aventure avec le cirque Dracul, en compagnie duquel j'avais parcouru l'Europe de l'Est tout l'été.

Adieu, Zirka. Adieu, mon amour.

Tu m'avais blessée et maintenant, j'étais loin de toi. Je venais de mettre le pied en terre américaine, aux États-Unis, où je ne serais plus ni Morgane la Parisienne, ni Morgane la bohémienne, mais une toute nouvelle Morgane, sans titre et sans étiquette.

Le vent magique qui m'avait emmenée jusqu'ici me murmurait à l'oreille que j'étais prête pour un tout nouveau périple.

Un nouveau rêve.

Une nouvelle route à parcourir.

Un nouveau mystère à explorer.

Qu'allais-je découvrir en ces terres ?

Je me tenais sous le ciel bleu, mon ciel, toujours bleu même lorsque je traversais la grisaille, prête à avancer sans hésitation, prête à aller au bout de mes expériences, à la découverte de moi-même.

En début de soirée, je posai mes pieds vagabonds à New York en compagnie de mon amie Maëva, celle qui m'avait permis de vivre mon aventure parmi les Tsiganes.

Elle m'avait menti. Et je lui avais pardonné, car la vie était trop courte pour en vouloir à ceux que l'on aimait. Je voulais vivre dans la légèreté, comme un papillon. Mes ailes ne supportaient pas la lourdeur de la rancune et de la haine.

Maëva et moi, nous allions réaliser notre rêve de voir le Grand Canyon. Mais nous ne souhaitions pas nous y rendre trop rapidement. Comme Jack Kerouac, nous voulions être *on the road*, sur la route, et parcourir en voiture les trois mille six cents kilomètres séparant la ville de New York de Las Vegas.

Nous voulions nous aussi vivre notre épopée vers l'Ouest, à la découverte du Nouveau Monde, à l'instar des premiers colons européens qui avaient traversé les grands espaces séparant la côte est de l'océan Pacifique, pour ressentir le vent de la liberté.

« Tu m'emmèneras aux États-Unis ? » m'avait demandé Maëva à Prague.

Je le lui avais promis.

Et voilà, nous y étions.

En sortant de l'aéroport international John-F.-Kennedy, nous nous rendîmes dans une entreprise de location d'automobiles, où nous optâmes pour une Volkswagen New Beetle décapotable rouge.

Rouge, car c'était la couleur de la passion, de l'action, de la fougue, de l'amour... Et nous voulions vivre passionnément, ma belle Tsigane et moi.

Le soleil se couchait derrière les hauts gratte-ciel de la Big Apple (la Grosse Pomme, comme les Américains ont surnommé New York) lorsque nous prîmes la route avec Édith, notre nouvelle amie. Pourquoi baptiser notre voiture Édith ? Maëva avait grandi avec les chansons d'Édith Piaf, et cette artiste représentait pour elle la liberté.

Nous parcourûmes la vingtaine de kilomètres qui séparaient l'aéroport de Manhattan en chantant à tue-tête les chansons que nous proposait la radio. Quel plaisir que de rouler les cheveux au vent !

— Tu parles anglais ? demandai-je à Maëva.

— Oui, j'ai appris en voyageant. C'est même plus facile pour moi que de parler français. Et toi ?

— J'ai suivi des cours au lycée... mais j'ai surtout appris en mémorisant les paroles de mes chansons préférées et en écoutant des films américains.

— Alors, à partir de maintenant, on ne parle qu'anglais, d'accord ?

J'étais d'accord, et nous ne prononçâmes plus un mot de français. Cependant, pour les besoins de ce récit, je continuerai de raconter cette histoire dans la langue de Molière.

De loin, j'aperçus les tours de Manhattan, symbole de la puissance économique américaine. New York se rapprochait, ses bruits de klaxons et de sirènes aussi. Tandis que nous roulions, j'observais attentivement le paysage qui défilait devant mes yeux.

Gratte-ciel, taxis jaunes, gratte-ciel, taxis jaunes, gratte-ciel... et plein d'hommes et de femmes occupés à refaire les mêmes pas que la veille.

Quel plaisir que d'être un touriste, un voyageur!

Je me sentais comme un être à part, comme si tous ces gens eussent été dans un aquarium, et moi, de l'autre côté de la vitre à les observer.

Quel plaisir que d'être un découvreur, un chercheur!

Mais que cherchais-je exactement? Quelle était ma quête?

Je cherche le Graal qui est enfoui au cœur de mon être, songeai-je tandis que nous entrions dans la ville bruyante.

Je cherchais le diamant à polir, le joyau caché en moi...

J'étais à la recherche de moi-même.

Alors que Maëva conduisait la voiture dans les rues de la ville, je sortis mon carnet d'inspirations et commençai à écrire...

Paysage : illuminé d'une multitude d'ampoules et de néons sur fond d'immeubles qui grattent le ciel.
Flore : lampadaires, panneaux de signalisation et feux de circulation poussant en abondance.

Faune : bigarrée, parfois agressive, parfois léthargique, avançant sur les trottoirs dans une bulle d'indifférence.

Maëva gara la voiture dans le parking d'un hôtel de l'Upper East Side de Manhattan, tout près de Central Park. À la réception, les employés ne semblaient pas habitués à accueillir de jeunes voyageuses vêtues d'un jean et d'un t-shirt. Le valet prit nos sacs à dos et les déposa sur son chariot, puis nous pria de le suivre jusqu'à la chambre.

Après lui avoir laissé un petit pourboire, Maëva referma la porte derrière nous et s'exclama :

— Génial !

— C'est classe, remarquai-je en faisant des yeux le tour de la pièce.

L'Upper East Side était un quartier très huppé et cette chambre coûtait les yeux de la tête, mais ce n'était que pour une nuit. J'avais reçu cinquante mille euros en héritage et je voulais vivre dans le luxe, ne serait-ce que pour un moment.

Ma mère avait mentionné dans son testament qu'elle souhaitait que je vive tous mes rêves. Ce voyage en Amérique, c'était l'un de mes rêves.

— Qu'est-ce qu'on fait ce soir ? m'interrogea Maëva.

— Fiesta !

Après ces douze heures de vol, j'avais envie de faire la fête. Avec le décalage horaire, pour nous il était quatre heures du matin. Pourtant, je n'avais aucune envie de dormir. J'étais à New York, la ville qui ne dort jamais !

Je voulais faire comme elle...

2

Dehors, la température frôlait les trente degrés, même si le soleil s'était couché plus d'une heure auparavant. La canicule s'était installée sur tout l'est du pays depuis quelques jours. Devant l'hôtel, dans le parc, des enfants (et même quelques adultes au cœur jeune) pataugeaient dans une grande fontaine, et leurs rires chaleureux se mélangeaient aux désagréables bruits de la rue.

Dans cette cité de la démesure et des plus folles ambitions, je me sentis dès mon arrivée imprégnée d'une énergie électrisante.

Vêtues de robes soleil colorées, Maëva et moi partîmes à la recherche d'un endroit où nous amuser. J'étais dans un état euphorique, les yeux bien grand ouverts pour ne rien manquer de ce spectacle urbain qui se déroulait devant moi.

Les trottoirs étaient presque aussi encombrés qu'en plein jour et nous zigzaguâmes entre les passants, main dans la main comme les deux inséparables copines que nous étions. Je regardai Maëva un moment et son sourire me fit chaud au cœur. J'avais besoin de mon amie pour éviter de penser à Zirka, que j'avais quitté la veille.

«Notre histoire n'est pas terminée», m'avait-il dit.

Cela me semblait déjà bien loin.

Comme si toute notre histoire n'avait été qu'un rêve, un doux rêve.

Trop doux pour être vrai...

Nous nous arrêtâmes devant un *night-club*. Des dizaines de personnes faisaient la file pour y entrer. Un portier laissait passer les habitués, tandis que les autres poireautaient à la queue leu leu.

— Il va falloir des heures avant d'entrer. On va ailleurs, bougonnai-je.

Maëva dévisageait le portier, un grand costaud au teint foncé et aux cheveux d'ébène, qui devait se *shooter* aux stéroïdes pour réussir à obtenir une si volumineuse masse musculaire.

— Attends, je vais lui parler.

— Mais non, ça ne servira à rien. Il va te dire bêtement de faire la queue.

Inutile d'argumenter, Maëva s'était déjà avancée vers le réfrigérateur ambulant. Alors que je m'approchais d'eux lentement, craignant l'humiliation, je vis la bête sourire. Je tendis l'oreille et reconnus l'accent rom. Ils parlaient le romani, la langue des romanichels !

— Soyez les bienvenues, articula le New-Yorkais en nous ouvrant la porte de l'établissement.

La Tsigane fit un clin d'œil à son « frère de sang » et nous entrâmes, le sourire jusqu'aux oreilles.

— Comment as-tu fait pour savoir qu'il était tsigane ? lui demandai-je alors que nous nous dirigions vers la piste de danse.

— Son look, son regard, sa posture... Il ressemble à mes cousins !

Elle m'épatait, Maëva la magicienne qui voyait derrière les apparences.

— Je sens qu'on va bien s'amuser ! déclarai-je.

Et cela s'appliquait autant à cette soirée qu'à ce voyage en décapotable rouge jusqu'au Grand Canyon.

Nous nous faufilâmes jusqu'au centre de la piste, où nous nous trémoussâmes sur une musique rythmée. Un petit groupe de garçons s'attroupa autour de nous, mais nous les ignorâmes, dansant l'une devant l'autre. Nous n'étions pas là pour flirter, quoique... Nous nous prîmes au jeu et dansâmes avec ces mecs, dont les yeux laissaient filtrer l'espoir de nous séduire.

Zirka..., songeai-je alors qu'un garçon me fixait dans les yeux.

Derrière ce visage inconnu, je revis les traits de celui qui avait conquis mon cœur.

Zirka... pourquoi m'as-tu menti ?

La joie me quitta et je cessai soudain de danser, comme si mes pieds venaient d'être coulés dans du ciment.

Ai-je bien fait de le quitter ? Et s'il était en train de m'oublier ?...

— Qu'est-ce que tu as ? me demanda Maëva.

— J'ai soif, mentis-je.

Mon amie me prit par la main et m'entraîna vers le bar.

— Tu vas le revoir, mon cousin, ne t'inquiète pas, me consola la Tsigane, qui avait deviné ce qui me chagrinait.

Je tournai la tête vers elle et esquissai un sourire forcé. Je ne voulais pas gâcher notre voyage avec mes états d'âme de pauvre fille en peine d'amour.

Alors que j'allais commander, une main tenant un verre se présenta devant mes yeux.

— Pour vous, mesdemoiselles, entendis-je.

Je me retournai : un bel homme d'une trentaine d'années nous offrait chacune un verre.

— Tequila Sunrise, vous aimez ?

— Non merci, répliqua Maëva du tac au tac.

Puis, se tournant vers le barman, elle ajouta :

— Deux Tequila Sunrise, s'il vous plaît.

— Ah, je vois…, enchaîna l'inconnu au crâne rasé et au bouc bien taillé.

— Quoi ? Qu'est-ce que vous *voyez* ? demanda la Tsigane.

— Vous ne voulez rien devoir à personne.

— Alors, vous admettez que vous voulez nous payer à boire en échange de…

— De votre compagnie, mesdemoiselles, la coupa-t-il.

— Nous ne sommes pas venues ici pour discuter, mais pour danser.

— Mais moi non plus, je n'ai pas envie de discuter...

— Chéri, on y va ? demanda une femme en posant sa main sur l'épaule de notre interlocuteur sans nous jeter un seul regard.

La femme, filiforme, au visage au teint laiteux et aux longs cheveux blonds, était sans doute actrice ou mannequin. *Pourquoi est-ce que ce mec nous drague s'il est avec une aussi belle femme ?* me demandai-je.

— J'allais inviter ces deux jeunes femmes à nous accompagner, répondit le chéri.

— Alors, vous venez ? demanda la vamp.

Maëva et moi nous regardâmes, perplexes. Je pouvais lire sur son visage expressif qu'elle pensait la même chose que moi : « Mais qui êtes-vous ? Pourquoi voulez-vous que l'on vous accompagne ? » Et surtout : « Où allez-vous ? »

— Vous ne le regretterez pas, assura l'inconnu tandis que les doigts de sa femme jouaient dans ses cheveux.

C'était l'aventure qui nous appelait. Qu'y avait-il au bout de cette rencontre ?

J'eus l'intention de demander plus de détails au couple – après tout, qui oserait suivre des inconnus rencontrés dans un bar à New York ? –, mais je me retins. Quelle exaltation que de ne pas savoir où nous irions ! C'était complètement fou, irréfléchi, mais n'était-ce pas ce que nous recherchions ?

Je souris à Maëva, qui lança alors :

— On y va !

3

Assise dans la BMW de Frantz – c'était le nom de l'inconnu –, j'observais attentivement par la vitre arrière le chemin que nous parcourions, pour être sûre de savoir comment rentrer. Une fine pluie rafraîchissante tombait sur la ville.

— Où va-t-on ? finit par demander Maëva, qui n'en pouvait plus du suspense.

— Là où les nuits n'ont pas de fin..., répondit Isabella, la femme de Frantz.

Nous n'en saurions pas plus pour le moment.

Il devait être une heure du matin lorsque l'automobile s'engagea dans l'allée d'un grand manoir en pierre. C'était une demeure somptueuse et je ne pus retenir un sourire en songeant à la soirée qui devait s'y tenir. Puis, la voix rabat-joie de ma conscience me murmura qu'il y avait peut-être du danger.

Je posai ma main sur celle de Maëva, qui tourna sa tête vers moi.

— Tu es certaine qu'on devrait entrer là-dedans ?
lui demandai-je tout bas.

Elle demeura un moment silencieuse, réfléchissant.

Je vis dans son regard qu'elle ne pressentait
aucun danger. Mais cela ne me rassura pas : son
instinct n'était pas très développé pour les situa-
tions dangereuses, son goût de l'aventure prenant
le dessus.

— On entre... et on ressort si ça ne nous plaît pas,
répondit-elle.

— Et si on ne pouvait plus ressortir ?

Je me faisais déjà un petit scénario de *thriller* dans
ma tête : Maëva et moi, prisonnières dans un manoir
mystérieux...

— Je vivrais bien là pour toujours ! affirma mon
amie d'un ton insouciant en ouvrant la portière.

Nous suivîmes Frantz et Isabella qui se dirigèrent
vers l'entrée après avoir donné la clé de leur voiture à
un valet. Un portier nous accueillit en haut du vaste
escalier de pierre.

Dans le hall, un serviteur nous conduisit dans
une pièce où se trouvaient des dizaines de robes de
soirée suspendues à des porte-vêtements à roulettes,
comme dans les coulisses d'un défilé de mode. J'avais
une impression de déjà-vu.

Vienne... On nous avait prêté des robes pour le
bal masqué...

La musique classique qui emplissait la salle de
bal ressurgit du fond de ma mémoire, emportant avec
elle des images et des émotions...

C'était durant cette merveilleuse nuit hors du temps que Zirka et moi avions fait l'amour pour la première fois...

— Choisissez une robe, nous enjoignit Isabella, m'empêchant de me replonger dans mes souvenirs, qui n'étaient pas si lointains.

Pourquoi devons-nous nous changer? me demandai-je, inquiète. Mais je n'osai pas poser de questions. Maëva était déjà en train de se chercher une robe et je fis comme elle. J'en dénichai une noire, moulante, dos nu et à larges bretelles, que j'allai enfiler derrière un paravent.

Quand je ressortis, Maëva portait une longue robe rouge qui lui donnait une apparence de vampire. Nos accompagnateurs, eux, ne s'étaient pas changés. Étrange...

— Hum... sexy, me complimenta Maëva. Une vraie femme fatale.

— Et toi, tu es la reine des vampires, remarquai-je, ce qui plut à la Roumaine et la fit sourire.

Frantz me tendit le bras alors que Isabella offrait le sien à Maëva.

Quel étrange couple que ces deux Américains...

Nous traversâmes le hall jusqu'à une autre porte, par laquelle nous accédâmes à une grande salle. Dans la pièce richement décorée discutaient une trentaine de convives, assis dans des fauteuils ou simplement accoudés au long comptoir d'un bar. L'éclairage était tamisé, créant une ambiance amicale et décontractée. Des éclats de rire parvinrent jusqu'à nous et je me détendis quelque peu.

Un homme en smoking s'avança vers nous.

— C'est la tienne ? demanda-t-il à Frantz. Bon choix. Votre nom ?

— Morgane, me présentai-je.

« La tienne »... Mais de quoi parle-t-il ?

— Vous arrivez bien tard. Nous acceptons néanmoins votre présence, annonça l'homme à l'intention d'Isabella et Frantz.

— Vous voulez un verre ? me proposa ce dernier tandis que l'hôte retournait vers ses invités.

— Où sommes-nous ? ne pus-je me retenir de demander alors que nous nous dirigions vers un serveur qui tenait un plateau de coupes de champagne.

— Chez des amis, tout simplement, répondit Isabella, qui nous avait suivis avec Maëva.

Sa réponse puait le mensonge à plein nez. Je commençai à devenir réellement inquiète. Et peut-être un peu parano.

Nous prîmes un verre et Frantz leva le sien pour porter un toast.

— À la beauté ! s'exclama-t-il. Puisse-t-elle nous rendre riches !

Je fis semblant de boire, mais ne fis que poser les lèvres sur mon verre.

— Ne bois pas d'alcool, murmurai-je ensuite à l'oreille de Maëva, qui dégustait avec insouciance sa boisson pétillante.

Isabella et Frantz nous présentèrent aux autres invités. Parmi eux se trouvaient des hommes d'affaires, des producteurs de cinéma, des magnats du pétrole...

Tous des millionnaires qui, selon les apparences, prenaient un verre en se détendant au son de la musique d'un duo de jazz. Mais la phrase de l'hôte hantait mes pensées : « C'est la tienne ? » Qu'avait-il voulu dire ? Pourquoi ce couple nous avait-il emmenées à cette soirée ?

Je commençai à transpirer, et Maëva lut l'inquiétude dans mes yeux.

— Où sont les toilettes ? demanda-t-elle à Isabella, qui nous indiqua une porte dans un coin de la pièce.

— Ne traînez pas trop, ce sera bientôt l'heure, annonça la grande blonde.

Nous marchâmes d'un pas pressé jusqu'à la salle d'eau.

— Dans quelle histoire on s'est embarquées ? ! ? paniquai-je en refermant la porte, que je verrouillai.

— Calme-toi, c'est *cool* ! me rassura Maëva. On se met du rouge à lèvres et on y retourne.

— Y a quelque chose qui ne tourne pas rond... Ce n'est pas une soirée mondaine ordinaire...

— Parce que tu y es allée souvent, toi, à des soirées mondaines ? me demanda la Tsigane.

Elle avait raison : je n'avais jamais été invitée dans ce genre d'endroit.

— Non...

— Manoir luxueux, robes de soirée, champagne gratuit, plein de gens riches à rencontrer... Profitons-en !

Je gardai le silence un moment, essayant de voir les choses du point de vue de mon amie. C'était une agréable soirée après tout. Je respirai profondément et me calmai. Maëva avait réussi à éloigner ma peur ; quelle magicienne !

Je replaçai mes cheveux et retouchai mon rouge à lèvres devant la glace. L'image que celle-ci me renvoya était superbe. Je me souris.

— Profitons-en ! conclus-je en rouvrant la porte.

4

Nous n'avions pas fait trois pas hors des toilettes que Frantz m'accosta.

— Morgane, j'ai un ami qui aimerait te rencontrer.

Je le suivis, tandis que Isabella emmenait Maëva dans un autre salon, adjacent au premier.

— Henri, voici Morgane, dit Frantz à l'intention d'un homme d'une cinquantaine d'années, dont les lunettes fumées me firent sourire.

— À ce que je sache, les rayons UV ne traversent pas les murs, et il fait nuit..., ne pus-je m'empêcher de lui faire remarquer d'un ton sarcastique – paroles que je regrettai immédiatement.

Mais il était trop tard. Je ne pouvais qu'attendre sa réaction. Henri sourit de toutes ses dents (blanchies au peroxyde!).

— Je suis si brillant que mon propre éclat m'éblouit! déclama-t-il d'un air amusé en abaissant ses lunettes fumées pour que je voie son regard moqueur. Tu me plais, Morgane. Je te fais visiter les lieux?

Cet homme avait l'air tout à fait inoffensif, bien qu'un peu fêlé. J'acquiesçai d'un signe de tête.

Henri m'emmena à l'extérieur, sur la vaste terrasse donnant sur les jardins. Alors que je sirotais mon champagne (j'avais baissé ma garde), me questionnant encore sur les paroles suspectes de l'hôte de la soirée, j'écoutai Henri me raconter l'histoire de ce manoir, qui avait appartenu à de riches colons britanniques. Rien de ce qu'il me révélait ne m'impressionnait : je venais tout de même de France, un des pays qui comptent le plus grand nombre de châteaux au kilomètre carré ! Alors, ce petit manoir...

La conversation n'était pas très intéressante, mais l'homme me fascinait. Sa façon de parler, de bouger, de porter des lunettes de soleil à une heure du matin !

Nous finîmes notre visite à l'étage, dans une chambre décorée comme au XVIIe siècle. Je m'assis sur un élégant divan et Henri prit place à mes côtés.

— Comment as-tu rencontré Frantz et Isabella ? me demanda ce dernier.

— C'était il y a deux heures, dans un bar...

— Ils les trouvent toujours dans des bars.

— Bon, j'en ai assez ! Aurais-tu l'amabilité de me dire où je me trouve ?

Henri leva les yeux au ciel, et je lus sur son visage qu'il se demandait s'il devait me dire la vérité. En fait, je crus déceler chez lui une envie folle de tout déballer.

— Ah, c'est bien moi. Incapable de tenir ma langue. Je vais tout te dire, mais promets-moi de garder cela pour toi.

— Promis.

— Tu es dans un dîner de starlettes.

— Quoi ? Je ne comprends pas. Qu'est-ce que ça veut dire, un « dîner de starlettes » ?

— C'est comme un dîner de cons, sauf qu'au lieu d'inviter un con, on invite chacun une belle jeune femme, et celui qui amène le plus beau morceau... gagne.

— Quoi ?!? Mais c'est...

— Très *entertaining* ! Et il n'y en a jamais une qui se soit plainte. Certaines filles ressortent d'ici avec un contrat de mannequin...

— Ou de danseuse exotique ! ajoutai-je, furieuse d'avoir été la pièce d'un jeu dont je ne connaissais pas les règles.

Henri avait très bien compris mon insinuation. Sa voix était très douce, sans aucune malice. On aurait dit qu'il ne cherchait même pas à se défendre, mais juste à m'expliquer les faits.

— Dans notre milieu, les filles qui vendent leur corps le font parce que cela les arrange. Personne ne force personne. Et des milliers de filles aimeraient se retrouver ici, crois-moi.

— Eh bien, pas moi !

— Regarde Isabella. C'est ici qu'elle a rencontré Frantz et qu'elle est devenue mannequin, enchaîna-t-il sans tenir compte de mes paroles. Et tu crois qu'elle est malheureuse d'avoir été un divertissement pour des gens de la haute société ? Non... Maintenant, c'est elle, la haute société.

Je demeurai muette. Je ne savais plus trop quoi penser de tout cela. C'est vrai qu'on ne nous avait fait aucun mal. Henri, lui, semblait tout à fait à l'aise avec ce concept de dîner de starlettes.

— Et qui l'a gagné, votre stupide concours de «beaux petits culs»? demandai-je effrontément.

Un grand sourire illumina le visage d'Henri, qui semblait prendre plaisir à notre discussion.

— C'est un secret...

Il s'amusait visiblement beaucoup.

— Pourquoi avoir demandé à Frantz de nous présenter? Pourquoi moi? Je ne suis pas la plus belle.

— Effectivement, mais tu as les yeux pétillants, au contraire de la majorité de ces vamps au regard éteint. Sais-tu jouer la comédie?

Je réfléchis à sa question. Savais-je jouer la comédie?

— Oui, je crois.

— Veux-tu gagner de l'argent?

Je fronçai les sourcils. Et voilà, le chat sortait du sac. Je me doutais bien que cet homme ne s'intéressait pas à moi pour ma divertissante compagnie.

— Non, merci, répondis-je du tac au tac.

— Je suis réalisateur. Et je suis gai, alors, ton beau petit... popotin, tu peux le garder pour toi. Ou pour d'autres! ajouta-t-il avant de s'esclaffer.

Je ne pus retenir un sourire. Malgré son excentricité, cet homme était réellement charmant. Il me tendit sa carte de visite, sur laquelle je posai les yeux.

— Réalisateur? répétai-je, intéressée.

— J'ai justement besoin d'une Française pour un film que je réalise actuellement ici, à New York. C'est la dernière semaine de tournage et il ne nous reste que les scènes avec la Française à tourner, mais l'actrice a attrapé la varicelle et je dois la remplacer.

Mes yeux s'agrandirent. Actrice... dans un film américain... Quel rêve !

— L'audition, c'est quand ? demandai-je, m'imaginant déjà jouant la comédie devant une caméra.

Moi qui avais toujours voulu vivre ma vie comme un grand film... Quelle apothéose ce serait !...

— L'audition, tu viens de la passer, *darling* !

5

New York, New York, 19 août

Maquillée, coiffée, costumée en Française – en l'image qu'ont les Américains d'une Française –, je me plaçai devant la caméra et j'entendis Henri crier : « Action ! » La boule que j'avais dans l'estomac disparut immédiatement et j'entrai dans la peau de Vanessa Lenoir, une étudiante française en visite aux États-Unis.

La scène se déroulait sur Liberty Island, dans le port de New York, devant la célèbre statue de la Liberté. Mark, le héros du film, y amenait Vanessa et lui faisait visiter cet endroit au lever du soleil, avant l'ouverture, pour l'impressionner.

— Je ne vois pas ce que vous trouvez à cette statue : elle est plutôt moche, dis-je d'un ton hautain au beau jeune homme aux cheveux coiffés à la James Dean.

Sa ressemblance avec l'acteur légendaire des années cinquante était troublante. *Qu'est-ce qu'il est mignon !* remarquai-je pour moi-même. Si mignon que j'en oubliai ma deuxième réplique, fascinée par ses pénétrants yeux verts.

«Coupez!» cria Henri. Je repris mes esprits et nous continuâmes le tournage. «Action!»

Dix prises plus tard, le réalisateur était satisfait. Tandis que l'on éteignait les projecteurs du plateau, il vint me serrer dans ses bras.

— Génial! Tu étais magnifique, ma belle Morgane!

— Oui, tu es géniale, renchérit Maëva qui arrivait près de nous.

Ils me complimentaient pour me rassurer, je le savais. Néanmoins, cela me fit sourire. Je m'amusais bien.

— C'est vrai que tu es géniale, entendis-je derrière moi.

Je me retournai. L'acteur avec qui je venais de tourner une scène me tendait un verre de café.

— Alors, tu es une vraie Française? me demanda-t-il.

On n'avait pas eu le temps de nous présenter l'un à l'autre avant le début du tournage, car ce dernier était arrivé à la bourre.

— Cent pour cent parisienne.

— Et moi, je suis roumaine. Je m'appelle Maëva, fit mon amie en tendant la main à l'acteur principal du film.

— James, se présenta-t-il.

Non, ce n'est pas vrai! Il s'appelle James!

— James Dean, ne pus-je me retenir d'ajouter.

Il s'esclaffa.

— Si seulement j'avais son talent...

— Tu veux bien nous prendre en photo devant la statue, James ? lui demanda Maëva avec son plus beau sourire.

— De vraies touristes ! nous taquina-t-il en prenant l'appareil photo.

Statue de la Liberté, symbole des États-Unis d'Amérique.
Mais qu'y a-t-il derrière ce symbole ?
Comment y croire, alors que ce pays de la liberté bafoue allégrement les droits de l'Homme sur ses terres et à l'étranger ?
Deux tours qui s'effondrent, à quelques centaines de mètres de cette statue mythique... C'est la faute aux méchants terroristes !
Mais qui croit vraiment cette histoire ?

— Tu sais que cette statue fut offerte aux États-Unis par la France ? demandai-je à James après qu'il nous eut immortalisées devant ce symbole de l'Amérique.

— Oui, je sais, en 1886, pour célébrer le centenaire de la Déclaration d'indépendance américaine. « La Liberté éclairant le monde », tel est son vrai nom.

— Ah, tu n'es pas que mignon, me moquai-je gentiment.

— L'Amérique était l'espoir d'un monde meilleur pour bien des étrangers qui venaient y chercher la liberté. Mais regardez ce qu'est devenu ce pays : l'empire de Big Brother..., déplora James, faisant référence au livre *1984* de George Orwell.

— Ce n'est pas si mal, protesta Maëva, née en Roumanie en décembre 1989, le jour du coup d'État contre le président communiste Ceauşescu.

La Tsigane avait connu la pauvreté et la misère dans un pays qui se remettait lentement du régime communiste ; pour elle, l'Amérique était encore synonyme de liberté.

— Pas si mal ! répéta James, en désaccord. Les États-Unis devraient être la « liberté éclairant le monde », mais ils sont haïs, maudits par la majorité de la planète. Ils se foutent pas mal de la liberté...

— Mais c'est tout de même une démocratie, protesta Maëva.

— Une fausse démocratie ! Le gouvernement de ce pays n'a aucun respect pour la Déclaration universelle des droits de l'Homme. Partout où l'armée américaine débarque, il y a violation des droits. Et même ici : la liberté des Américains est de plus en plus menacée par leur propre gouvernement, avec tous ces systèmes de surveillance et de contrôle de la population. Je ne serais pas surpris que les États-Unis deviennent un régime totalitaire !

Le ton de sa voix, sa façon de se révolter me rappelèrent Zirka, que je chassai immédiatement de mes pensées.

— Bon, on va casser la croûte ? proposai-je.

Nous allâmes nous sustenter au buffet offert à l'équipe de tournage. Et je changeai de sujet, essayant de connaître un peu mieux celui avec qui j'allais travailler toute la semaine.

— Comment as-tu commencé à faire du cinéma ? m'enquis-je.

— Je m'intéresse au théâtre depuis aussi longtemps que je me souvienne, nous révéla-t-il. Je créais des pièces pour mes copains à l'école, et je jouais tous les personnages. J'ai quitté ma ville natale à dix-huit ans pour venir étudier le théâtre ici, à New York. Et ça s'est passé très vite pour moi. J'ai passé une audition pour un film et j'ai décroché le premier rôle. Ensuite, j'ai reçu tellement d'offres que j'ai laissé tomber mes cours de théâtre.

— Le rêve américain, quoi ! commenta Maëva.

James ne répondit pas, mais je sentis que son rêve à lui n'était pas vraiment de devenir une star de cinéma.

— Et toi, ton plus grand rêve ? lui demandai-je alors.

Il réfléchit un moment et répondit :

— Pouvoir faire tout ce que je veux sans être reconnu. N'être personne...

— Moi, je rêve d'être « quelqu'un »..., murmura Maëva, de la tristesse dans les yeux.

Je pris la main de mon amie et l'embrassai.

— Tu *es* quelqu'un pour moi, Maëva la magicienne.

— Maëva la magicienne ? répéta James, curieux.

— Oui, et je suis Morgane la fée.

Nos surnoms firent sourire notre nouvel ami, qui semblait apprécier nos personnalités fantaisistes.

— On n'a pas de scène à tourner avant cette nuit. Je vous fais visiter la ville, mesdemoiselles ? proposa James alors que nous terminions notre repas.

— Oui, super ! acquiesça Maëva.

James se tourna vers moi.

— D'accord, à condition que je sois rentrée à l'hôtel en début de soirée, que je puisse au moins dormir quelques heures avant le tournage.

— Promis.

J'enlevai les jolis vêtements de Vanessa Lenoir, repassai mon vieux jean et mon t-shirt, et mis mon sac en bandoulière. J'étais prête à partir à la découverte de New York avec le beau James Dean.

6

Nous quittâmes le lieu du tournage pour aller prendre le traversier. La chaleur était insupportable et j'appréciai de sentir le vent sur mon visage alors que nous traversions la mince étendue d'eau qui séparait Liberty Island de l'île de Manhattan.

— On peut aller au Metropolitan Museum of Art, proposa James alors que nous prenions place dans notre décapotable rouge, qui nous attendait dans le parking.

— Je ne suis pas venue à New York pour visiter les musées, déclarai-je.

— Pas de musées..., dit l'acteur, songeur. On peut aller à Ground Zero.

— Ah non, le coupai-je. C'est déprimant.

— Wall Street, Empire State Building, Times Square...

— Rien d'impressionnant dans tous ces édifices.

Ce n'étaient que les constructions vaniteuses des hommes, des symboles de la puissance américaine.

Rien d'exaltant, de romantique, rien qui fît vibrer mon âme...

— Tu es difficile, conclut James.

— Pas du tout ! Ne me dis pas que tu ne connais pas un seul endroit qui ait un peu d'âme à New York !

C'était un défi que je lui lançais. Il le releva.

— D'accord, je sais où je vais vous emmener.

James prit le volant et nous conduisit jusque dans Harlem, le célèbre quartier noir de New York.

— Ce n'est pas un peu dangereux de se promener ici ? demanda Maëva qui, comme moi, ne connaissait d'Harlem que ce que l'on en voit dans les films.

— Beaucoup moins qu'il y a quelques années, nous rassura James.

— Où va-t-on ? demandai-je alors que nous marchions sur le trottoir après avoir garé la voiture.

— À l'église ! lâcha James, s'arrêtant devant une petite église méthodiste.

Et il m'adressa le plus beau des sourires.

Nous entrâmes dans l'église et prîmes place au dernier banc. La salle était pleine à craquer, remplie de Noirs aux premiers rangs, puis d'une multitude de touristes qui ne venaient pas pour prier le Christ, seulement pour le spectacle. Cela démontrait bien ce qu'était devenue la religion en ce début du XXIe siècle.

Devant l'assemblée se tenaient un prédicateur et une quinzaine de personnes vêtues de toges violettes.

— Je ne suis pas chrétien, mais cet homme énonce de grandes vérités, me murmura James à l'oreille alors que le prédicateur commençait à s'adresser à ses fidèles...

« Vivez comme si vous deviez mourir demain, apprenez comme si vous deviez vivre toujours » fut la seule phrase que je retins. Je la citai à James à la fin du sermon.

— Il est super, ce prédicateur, dis-je. La morale chrétienne n'est pas si mal.

— C'est une citation de Bouddha ! m'indiqua James, heureux de me l'apprendre.

Humm... Il n'est vraiment pas que mignon, ce mec ! pensai-je alors que la chorale se mettait à chanter en tapant des mains.

Toute l'assemblée se leva. Alléluia ! Alléluia ! Alléluia !

Mon cœur s'ouvrit au son de ces voix chaudes. Mon âme se mit à vibrer et je ressentis tout l'amour qui émanait de ces gens qui priaient Dieu, non pas dans l'austérité, mais dans la joie. Leurs visages étaient resplendissants.

Cela me donna presque envie de me convertir... Presque.

Je ressortis de l'église le cœur léger. James souriait, visiblement content de m'avoir épatée.

— On ne s'est pas confessés, blaguai-je sur le parvis de l'église.

— Tes péchés, tu me les confesseras en privé... Je suis très intéressé, susurra-t-il à mon oreille, ce qui me fit rougir.

— Qu'est-ce que tu dis, James ? demanda Maëva.

Je décelai une pointe de jalousie dans sa voix. Il est vrai que James était très attentionné envers moi. Mais il ne m'intéressait pas, ce mec. Elle pouvait le draguer si elle le souhaitait. Moi, j'avais toujours un beau Tsigane dans la tête.

Durant l'après-midi, James nous fit visiter les principaux quartiers de Manhattan : Spanish Harlem, Upper West Side, Midtown, Chelsea, Soho, Little Italy, Chinatown...

Nous terminâmes notre visite de ce Manhattan aux mille et un visages par Greenwich Village, un quartier situé au sud-ouest, aux maisons de style européen.

— Ce quartier était une plantation hollandaise au XVIIe siècle. Dans les années dix, les loyers à prix modique ont attiré des jeunes aux idées anticonformistes. À partir des années cinquante, Greenwich est devenu le « temple de l'underground ».

— Merci, monsieur le guide ! plaisantai-je.

Nous arrivâmes à la hauteur de Broadway alors que l'obscurité commençait à envelopper la ville. Les publicités grandioses et les affiches des productions théâtrales faisaient briller cette artère de mille feux. On se sentait vraiment à New York, sur ces trottoirs grouillants de vie.

C'était fascinant quoique exténuant de s'y promener ; mes yeux étaient sur le point de faire une overdose de panneaux lumineux. On était très loin des petites places de certaines villes d'Europe de l'Est, où l'on pouvait entendre couler l'eau des fontaines...

Le contraste entre ces deux environnements était frappant, et je me demandai où je préférerais passer ma vie. *Je ne pourrais jamais vivre à New York*, songeai-je. À cet instant, je pris conscience que la nature me manquait.

Là, au cœur de Manhattan, j'avais le désir de renouer le contact avec la Terre Mère. Le désir de rouler sur les longues routes sans fin de l'Amérique jusqu'au Grand Canyon. Une semaine de tournage, et je pourrais ensuite me laisser porter par mon rêve d'évasion et de grands espaces...

— On va écouter de la musique ? demanda James, me sortant brusquement de mes songes.

— Non, je dois aller me reposer. On va travailler toute la nuit.

— Juste une heure. Tiens, dans cette petite boîte de jazz, proposa-t-il en pointant un endroit qui avait l'air sympa.

— Je ne sais pas...

— Allez, Morgane, ne fais pas la rabat-joie, insista Maëva.

Moi, rabat-joie ! Alors ça, non ! Je me dirigeai d'un pas assuré vers la boîte de nuit, qui venait juste d'ouvrir ses portes.

7

L'endroit était encore désert. On nous offrit de nous asseoir à une petite table tout près de la scène et une serveuse vint prendre notre commande. Après avoir noté ce que nous voulions, cette dernière demeura plantée devant nous, fixant le bel acteur.

— C'est vous, c'est bien vous ? lui demanda-t-elle.

— Ça dépend de qui vous parlez, répondit-il, la faisant languir.

— Ah oui, c'est vous ! Brittany, viens par là ! cria-t-elle à une autre serveuse. Je peux avoir votre autographe ?

Elle lui tendit un morceau de papier alors que l'autre serveuse arrivait avec un appareil photo. Elles me demandèrent de les photographier avec James.

— Voilà, dis-je en leur rendant l'appareil.

— Et vous, vous êtes célèbres ? s'enquit notre serveuse.

Je m'apprêtais à répondre, mais Maëva prit la parole avant moi :

— Oui, en Europe de l'Est. Nous formons un duo de danseuses très célèbre, annonça-t-elle d'un ton hautain, ce qui me fit pouffer de rire.

— Je peux vous prendre en photo ?

— Non, notre producteur nous l'interdit. Ce cliché vaudrait son pesant d'or...

Cette fois-ci, ce fut James qui ne put retenir un petit rire.

Les deux serveuses retournèrent travailler, heureuses d'avoir pris cette photo du beau James, qu'elles allaient probablement afficher derrière le bar, puis au mur de leur chambre à coucher, sur leur réfrigérateur, sur leur fond d'écran d'ordinateur et, pourquoi pas, sur leur blogue ou leur page Facebook. Elles deviendraient elles-mêmes célèbres parce qu'elles auraient rencontré une célébrité... ou plutôt *trois* célébrités !

— Un duo de danseuses très célèbre en Europe de l'Est, répéta James. Quelle farce !

— Enlève le « très célèbre » et c'est la vérité, répliqua Maëva, le regard soudain assombri par le souvenir amer du cirque Dracul.

— Vraiment ?

— J'ai rencontré Maëva à Bucarest. Elle était danseuse dans un cirque tsigane et elle m'a proposé de danser à ses côtés, racontai-je à James.

— Génial... Alors, je suis en compagnie de deux « vraies » danseuses tsiganes...

— Qui sont bien heureuses d'avoir quitté l'Europe de l'Est, le coupa Maëva.

— Moi, je suis un petit gars pauvre qui vient du Kansas profond et qui est bien heureux d'avoir quitté le Midwest pour vivre une autre vie.

— Qu'est-ce qu'il a de si «profond», ton Kansas? lui demanda Maëva, qui venait de la Transylvanie – autrement dit, la Roumanie profonde.

— D'où je viens, un type qui roule en Volvo est un sale gauchiste, et si en plus il ose manger des *french fries*, c'est le diable incarné! ricana James.

Toutefois, je lus dans son regard qu'il ne blaguait pas vraiment et que le petit garçon amoureux du théâtre avait dû trouver son enfance très difficile.

Un silence plana un moment entre nous. Un silence apaisant. Nous écoutâmes jouer le *jazz-band*. La musique nous transporta loin de nos mauvais souvenirs, dans ce lieu paisible où seul comptait le moment présent.

À minuit, nous nous rendîmes sur les lieux du tournage; je n'avais pas dormi et je devais travailler le reste de la nuit. Nous avions trois scènes à tourner. James me tendit un grand café.

— Tiens, bois ça.

— Ce sera ta faute si j'oublie mon texte! dis-je en souriant.

— J'ai passé une très belle journée en ta compagnie, Morgane, me confia James en plongeant son regard dans le mien.

Mon cœur fit un bond dans ma poitrine.

— Moi aussi, j'ai passé une magnifique journée, affirmai-je en détournant les yeux et en commençant à marcher vers le décor où nous devions prendre place.

— Tu fais quoi après New York ?

— On va au Grand Canyon.

— Vous allez adorer.

— On va emprunter l'une de ces routes qui traversent l'Amérique et rouler les cheveux au vent dans notre décapotable rouge, m'enthousiasmai-je.

— C'est un super projet. J'ai toujours rêvé de traverser les États-Unis d'est en ouest.

— C'est ton pays et tu ne l'as jamais fait ? m'étonnai-je.

— Tu as déjà fait la tournée des châteaux de la Loire, toi ? Ou visité le Mont-Saint-Michel, ou...

— Je ne suis jamais montée au sommet de la tour Eiffel et j'habitais tout près, avouai-je.

— J'adorerais jouer au touriste dans mon propre pays...

Nous nous installâmes sous les projecteurs et la caméra se mit à tourner.

À huit heures du matin, je rentrai à l'hôtel complètement exténuée. Exténuée, mais heureuse : moi, star de cinéma ! Quelle aventure ! Je n'avais même pas envie d'aller me coucher.

Maëva s'installa à mes côtés dans le lit et nous ouvrîmes un pot de glace à la vanille, que nous partageâmes.

— Qu'est-ce qu'il est mignon, James, remarqua Maëva avant d'engloutir une grosse cuillerée.

— Oui, il est pas mal...

— Toi, tu penses encore à mon cousin.

— Non, pas du tout.

— Tu veux l'appeler ? me demanda-t-elle en me tendant son téléphone portable. Je suis certaine qu'il serait content que...

— Non, Maëva. Je lui ai dit que j'avais besoin de réfléchir. Je vais faire ce voyage et...

— Et il t'aura oubliée !

— S'il m'oublie, alors, c'est qu'il ne m'aimait pas vraiment.

— Tu ne devrais pas jouer comme ça avec l'amour. Tu as de la chance, tu sais...

Je lus de la tristesse dans le regard de mon amie.

— Tu as déjà été amoureuse, Maëva ?

— J'ai été amoureuse plusieurs fois, me confia-t-elle. Dans presque toutes les villes où le cirque est passé. Mais je devais chaque fois repartir...

— On ne pense pas aux mecs, d'accord ? On essaie de se rendre au Grand Canyon sans se laisser prendre au jeu de l'amour !

Maëva sourit en fouillant dans le pot avec sa cuillère, comme si elle savait déjà qu'il serait bien difficile de respecter ce serment...

8

New York, New York, 26 août

Au petit matin, j'arrivai sur les lieux du tournage, à Times Square. C'était déjà ma dernière journée. Une semaine de travail pour quelques minutes à l'écran.

Alors que je sirotais mon café dans le camping-car où l'on me métamorphosait en Vanessa Lenoir, Maëva me faisait mémoriser mon texte.

— Tu te rends compte que tu vas l'embrasser ? me demanda-t-elle.

— Ce n'est pas la réplique de James.

— Tu connais toutes tes répliques par cœur, ne t'inquiète pas. Alors, qu'est-ce que ça te fait de savoir que tu vas l'embrasser ?

— Rien.

— Pas nerveuse ?

— Pas du tout, prétendis-je en me levant.

Quelle menteuse ! J'étais vraiment douée pour jouer la comédie. J'étais totalement pétrifiée en songeant que j'allais devoir embrasser James quelques instants plus tard... ou plutôt, que Vanessa allait devoir embrasser Mark. Mais comment faire pour que ce ne soit pas moi qui l'embrasse, mais mon personnage ?

— Moi, je ne serais pas nerveuse du tout, dit Maëva alors que nous sortions du camion.

— Je te laisserais bien ma place...

— Ah, je le savais ! Tu es nerveuse. Tu n'as qu'à fermer les yeux et imaginer que c'est... Zirka.

— Maëva !

— Bon, bon, je n'essaie plus de t'aider, abdiqua-t-elle, souriante, en s'éloignant.

Elle s'assit près d'Henri pour regarder la scène tandis que je me préparais à jouer la comédie, fermant les yeux et me remémorant les quelques phrases que je devais prononcer avant le moment où nos lèvres se toucheraient.

« Action ! » cria le réalisateur quelques minutes plus tard.

Au coin d'une rue passante, où circulaient des figurants costumés en hommes et femmes d'affaires, Mark et Vanessa se rencontrèrent. Il la prit dans ses bras et...

— Alors, comment c'était ? me demanda Maëva, de retour dans le camion.

— Je ne veux pas y penser.

— Pourquoi ? Tu as peur qu'il te plaise ?

— Non, je n'ai peur de rien, protestai-je. Et puis, personne ne me plaira tant que je n'aurai pas oublié Zirka.

— Tu veux l'oublier ?

— Je ne sais pas, Maëva. Je ne sais pas ce que je veux, conclus-je, agacée par toutes ces questions.

Je me changeai et nous montâmes dans une voiture de location qui nous emmena à l'endroit où allait être filmée la dernière scène du tournage, celle de la rencontre entre Vanessa et Mark.

Ce film, c'était l'histoire de Mark, un mec qui rencontrait une vingtaine de filles en quelques semaines et qui devait en choisir une pour l'épouser, car il n'aurait accès à l'héritage de son riche oncle récemment décédé que s'il était marié avant son 25ᵉ anniversaire. Vanessa la Française n'était pas le choix de Mark : trop prétentieuse.

— Mais Morgane la Parisienne est, je crois, le choix de James..., lâcha Maëva après que je lui eus résumé l'histoire.

— Mais arrête, Maëva ! Y en a marre ! Il n'y a rien du tout entre James et moi ! Et puis, il a une copine, il nous en a parlé, tu te souviens ?

Lors de notre soirée à la boîte de jazz, James nous avait en effet parlé de sa *girlfriend*, un mannequin qui travaillait actuellement à Milan et qui ne semblait pas vraiment lui manquer.

Nous arrivâmes à Central Park. C'était là que Vanessa, la Française pédante, rencontrait Mark, l'Américain à l'accent du Midwest, pour la première fois.

« Action ! » cria Henri.

— Vous avez du feu, mademoiselle ? demanda Mark à Vanessa qu'il croisait dans l'un des nombreux sentiers du parc.

— Non, je ne fume pas, répondis-je sur un ton qui laissait sous-entendre mon dégoût pour la cigarette.

— Tu veux m'aider à arrêter ? demanda Mark, un grand sourire sur son visage de tombeur.

Et c'est ainsi qu'il parvint à séduire la belle Française – qu'il laisserait tomber plus tard pour une top-modèle tchèque.

— Mark laisse tomber la Française pour le mannequin... Et si James décidait de laisser tomber le mannequin pour la Française ? réfléchit Maëva tout haut alors que nous entrions dans le camion de repos.

— Maëva... ferme-la ! dis-je avant de pouffer de rire, ne pouvant faire autrement que d'être amusée par les réflexions de mon amie, que j'étais bien contente d'avoir à mes côtés.

Quand je ressortis du camping-car, démaquillée et changée, le réalisateur s'approcha et me prit dans ses bras.

— Merci, Henri, chuchotai-je à son oreille, reconnaissante envers cet homme qui m'avait donné la chance de vivre cette belle expérience.

— Alors, qu'est-ce que ça fait de passer de bohémienne à star américaine ?

— Pour que je devienne une star, il faut que ton film soit un grand succès.

— Il le sera, affirma-t-il, sûr de lui. Alors, que vas-tu faire maintenant ?

— On part pour Las Vegas.

— La première du film est dans trois semaines à Los Angeles. Il faut que tu y sois.

— Dans trois semaines, si tôt?

— Oui, le montage est déjà presque terminé. Il ne manquait que ces quelques scènes qu'on a dû refaire... et qui sont géniales, grâce à toi, ma belle. Alors, je te réserve une chambre au Hilton de Los Angeles pour le 17 septembre?

— Oui, bien sûr! répondit Maëva, qui appréciait encore plus que moi cette « vie de star ». Grande première, le 17 septembre à Los Angeles, c'est noté. Et tout ça parce que nous avons accepté de suivre un couple étrange rencontré dans un bar de Manhattan...

— Et que Morgane n'a pas eu peur de se retrouver seule dans une chambre avec un vieil homosexuel excentrique! ajouta Henri.

— Tu n'es pas vieux, juste un peu... démodé, le taquina James qui venait de se joindre à nous.

— Vous allez me manquer, les enfants, s'émut Henri qui nous serra dans ses bras, puis s'en alla, la larme à l'œil.

— Ce fut un plaisir de te rencontrer, James, fis-je en lui tendant la main.

J'étais mal à l'aise, et cela se voyait. Nous venions de nous embrasser une dizaine de fois devant la caméra et cela me faisait tout drôle.

— Le plaisir fut pour moi, répondit-il en prenant ma main.

Et je lus dans son regard qu'il ne parlait pas que de notre rencontre, mais aussi de ces longs baisers que nous venions d'échanger. Je rougis jusqu'aux oreilles.

Il était vraiment temps que nous partions loin de New York... loin de ce James Dean trop mignon.

— Qu'est-ce que tu fais, maintenant ? Un nouveau film ? l'interrogea Maëva.

— Non, pas avant décembre. Justement, je me demandais...

Non, James, ce n'est pas une bonne idée, me dis-je, ayant deviné à quoi il pensait.

— Quoi ? le pressa la Tsigane.

— Qu'est-ce que vous diriez si je voyageais avec vous jusqu'en Californie ?

— Quelle bonne idée ! s'exclama mon amie.

— On pourrait passer par le Tennessee et s'arrêter chez mes parents, proposa l'acteur.

— Je croyais que tu venais du Kansas, dis-je.

— Oui, mais mes parents viennent de déménager à Memphis et j'aimerais bien leur rendre visite.

Et voilà, notre itinéraire venait d'être tracé... par un mec !

J'étais malgré tout heureuse qu'il voyage avec nous. C'était plutôt rassurant de partir avec quelqu'un qui savait changer un pneu !

9

Route New York – Memphis, 27 août

Nous quittâmes la Big Apple à cinq heures du matin, cafés et beignets en main, à bord d'Édith, notre décapotable, qui avait survécu à la dense et fébrile circulation de New York.

J'étais triste de quitter cette ville ; j'y avais passé une semaine fabuleuse. Mais la véritable aventure commençait maintenant.

Nous avions mille huit cents kilomètres à parcourir avant d'atteindre Memphis, la capitale du rock.

— On y sera dans combien de temps, chez tes parents ? demanda Maëva en appuyant sur le champignon.

— Si on ne s'arrête pas, dans dix-huit heures.

— On a le droit de s'arrêter pour faire pipi ou tu as prévu un petit sac ? plaisanta-t-elle.

Et cela donna le ton au voyage.

Nous traversâmes le New Jersey sur fond de blues et de country, musique tout à fait appropriée pour notre longue balade à travers les États-Unis.

En Pennsylvanie, nous quittâmes l'autoroute pour emprunter de plus petites routes. Le paysage était magnifique : maisons en bois avec fauteuil à bascule sur le perron, vaches broutant paisiblement l'herbe verte des vallons...

En Ohio, la route était longue, droite, presque interminable. Nous « bouffâmes » du bitume. Et nous bûmes du café américain, jus de chaussettes auquel il fallait ajouter sucre et lait tellement le goût en était infect.

Nous nous passâmes le volant toutes les trois heures pour ne risquer aucune sortie de route. Car on avait beau rouler en plein jour, le défilement des lignes blanches de la chaussée pouvait devenir hypnotique.

Dans l'État du Kentucky, nous croisâmes une immense affiche qui disait : « Jésus est mort pour nos péchés. »

— Ils sont drôles, ces Américains ! s'exclama Maëva. On assassine le fils de Dieu, puis on dit qu'il est mort pour nous...

— Pour qu'on puisse *continuer* de pécher, plaisanta James, qui trouvait aussi ce panneau ridicule.

Et moi d'ajouter :

— On devrait mettre un panneau juste à côté qui dirait : « Jésus est mort pour rien ! »

Et voilà pour notre discussion théologique.

Nous passâmes ensuite la frontière du Tennessee. Champs de coton à perte de vue...

J'imaginai les esclaves noirs qui y avaient travaillé afin que l'Europe et l'Amérique blanches puissent dormir dans des draps de coton, alors qu'eux dormaient « sur des paquets de planches », comme le chantait si bien l'un de mes poètes préférés, Francis Cabrel.

— Comment l'homme blanc a-t-il pu considérer l'homme noir comme un animal à asservir ? dis-je sans attendre de réponse.

— « L'esclavage humain a atteint son point culminant à notre époque, sous forme de travail librement salarié », répondit James, avant d'ajouter : Ce n'est pas de moi, mais de George Bernard Shaw, un Prix Nobel de littérature.

— Tu crois que les travailleurs d'aujourd'hui sont des esclaves ? demanda Maëva.

— Mais bien sûr. Esclaves du système qui nous pousse à consommer toujours plus et à nous endetter pour être ensuite obligés de travailler pour rembourser nos dettes. Ce n'est pas parce que les gens reçoivent quelques sous pour leur labeur qu'ils sont des êtres libres.

— « L'argent ne représente qu'une nouvelle forme d'esclavage impersonnel à la place de l'ancien esclavage personnel. » Ce n'est pas de moi, mais de Tolstoï, déclarai-je en faisant un clin d'œil à James, lui montrant que, moi aussi, je pouvais citer les grands penseurs.

— Seuls ceux qui travaillent par plaisir ne sont pas des esclaves, ajouta l'Américain.

— Comme toi.

— Pas vraiment. Je suis esclave de mon ego, qui me pousse à vouloir devenir le meilleur acteur de mon époque.

— Moi, je suis esclave de mon passé, qui m'empêche d'être réellement heureuse, nous confia Maëva.

Un silence s'ensuivit. Je sentis que mes amis attendaient de moi une confession.

— Moi, je suis esclave... de la liberté. Je veux tellement être libre que je fuis ce qui pourrait me stabiliser et me garder en place.

Je fuis l'amour, songeai-je en repensant à Alexandre, à Julien et à Zirka.

Alexandre le magnifique, Julien le poète et Zirka le dompteur de fauves...

Trois garçons, trois histoires.

Trois amoureux dont je n'avais pas voulu.

James serait-il ma prochaine victime ?...

Nous entrâmes dans Memphis à une heure du matin, sous de violentes rafales de vent et de pluie.

Après avoir garé la décapotable dans l'allée et pris nos sacs à dos, nous nous présentâmes sur le porche de la grande maison blanche aux volets rouges, typiquement américaine. James entra sans frapper. Ses parents, qui attendaient notre arrivée, étaient assis au salon dont la déco était à l'image de ce couple de voyageurs, avec des masques africains, des bibelots en jade de Chine et des tapis turcs.

— Alors, comment fut le voyage ? bâilla Catherine, la maman de James, une belle femme dans la cinquantaine.

— Long, répondit Maëva, exténuée. Je n'aurais jamais cru que l'on puisse rouler aussi longtemps et être toujours aux États-Unis.

— C'est vrai que New York – Memphis, c'est aussi long que... voyons voir... Paris – Bucarest, affirma Peter, le papa.

— Comme c'est drôle : je viens de Paris, et Maëva, de Bucarest !

— Nous avons visité la Roumanie il y a quelques années. C'était merveilleux, n'est-ce pas, Catherine ?

— Merveilleux, oui, mon cher... Nous vous avons préparé chacune une chambre à l'étage. Toi, James, tu dormiras au sous-sol. Bonne nuit, les enfants.

Catherine et Peter montèrent se coucher et nous les suivîmes, James portant nos sacs à dos. Maëva alla s'effondrer sur son lit sans même nous souhaiter bonne nuit.

— Elle va dormir tout habillée, tu crois ? demanda James en posant mon sac dans ma chambre.

— Probablement.

— Dors bien, Morgane, dit-il d'un ton charmeur, debout dans l'embrasure de la porte.

Sa voix était douce et j'eus soudain envie qu'il me prenne dans ses bras.

Tu as déjà oublié Zirka ?... m'interrogea la voix rabat-joie de ma conscience.

— Bonne nuit, James, répondis-je en commençant à refermer la porte pour qu'il comprenne que je voulais qu'il parte... le plus vite possible, avant que je succombe à son charme à la James Dean !

— Fais de beaux rêves, ajouta-t-il avant de se retourner.

Je décelai dans le ton de sa voix une forme d'assurance, comme s'il savait que j'allais bientôt craquer et m'abandonner à lui.

Et j'avais beau vouloir résister, cette nuit-là, comble de l'ironie, je rêvai à mon bel acteur américain.

10

Memphis, Tennessee, 28 août

Alors que nous prenions un typique petit-déjeuner américain de pancakes aux bleuets, James eut une excellente idée.

— Et si on allait sauter en parachute ? proposa-t-il avant d'avaler une grosse cuillerée de chantilly.

— Je crois que je vais être malade..., balbutia Maëva, qui se leva et se précipita vers la salle d'eau.

— Elle n'aime pas le parachutisme ? demanda Peter.

Il s'avéra que Maëva venait de choper une gastro-entérite, ce qui l'empêcha de venir sauter avec nous.

— Allez-y, je vais me reposer, bredouilla-t-elle une fois étendue sur son lit.

— On sera de retour avant la nuit, promis-je.

Je montai dans le Cessna le cœur serré. Je faisais la brave pour épater James, mais j'étais morte de trouille. Sauter dans le vide à quatre mille mètres : il n'y avait que les êtres humains pour imaginer un tel divertissement! Aucun animal n'aurait jamais envie de faire une telle folie!

Ils sont intelligents, les animaux, ils savent d'instinct ce qui est dangereux..., me dis-je en moi-même en regardant la piste de décollage qui devenait de plus en plus petite.

L'avion montait dans le ciel bleu. Je ne pouvais plus reculer. J'allais devoir jouer à la «super nana qui n'a peur de rien». Au moins, nous allions sauter en tandem, c'est-à-dire moi accrochée à James. Et j'allais m'y accrocher, à mon beau James!

Je tentai de calmer mon angoisse et de profiter du paysage. Alors que nous montions toujours de plus en plus haut, j'admirai les méandres du Mississippi.

Voler au-dessus du fleuve Mississippi, le père des eaux, majestueux Meschacebé tacheté d'ombres et de lumière...
Du haut des airs, je suis la colombe candide; il est le rusé serpent.
Ce long reptile engourdi sous le soleil du Sud évoque en moi la nécessité de regarder les ombres cachées dans les méandres de mon cœur...

Après une vingtaine de minutes de vol, le pilote nous annonça que nous pouvions y aller.

— Quoi?!? Comme ça, là, maintenant?

— Tu n'as pas à avoir peur. Il n'y a aucun danger, tenta de me rassurer James.

— Je n'ai pas peur, répondit la «super nana qui n'a peur de rien».

— Alors, tiens-toi bien, on y va!

Allez, super nana, il faut sauter maintenant, puisque tu n'as peur de rien..., dit une petite voix dans ma tête. Mais où était la voix rabat-joie, celle qui, pour une fois, aurait dû parler et me dire de retourner au lit avec Maëva?

— Tu peux être sûr que je vais bien me tenir! criai-je contre le vent qui entrait maintenant par la porte ouverte.

Nous nous agenouillâmes, puis...

Un, deux, trois, *go*!

James nous propulsa dans le vide!

Et nous voilà partis pour cinquante secondes de pure adrénaline. Je gardai les yeux fermés quelques instants: panique totale. Mon corps était dans le vide, le VIDE!!!

Puis, j'ouvris les yeux. Et là, toute peur disparut. J'observai la Terre de haut. Bon, peut-être pas la Terre – je n'étais quand même pas Neil Armstrong –, seulement le Tennessee.

Je volais! Je planais! Ou plutôt, je TOMBAIS à deux cents kilomètres à l'heure!!!

Je pris soudain conscience que la seule chose qui me rattachait à la vie était... James, qui tenait la corde ouvrant le parachute.

Et s'il avait des tendances suicidaires?... songeai-je. C'en serait fini de moi...

Oui, je sais, quelle pensée idiote à avoir lorsqu'on tombe en chute libre. Mais c'est celle que j'ai eue.

Puis, je me détendis – autant que l'on peut se détendre à quatre mille mètres d'altitude –, et me vint une pensée un peu plus réjouissante :

Comme les oiseaux ont de la chance de vivre toujours ainsi, loin des tourments terrestres, entre le ciel et la terre...

Une fois que James nous eut stabilisés dans les airs, je me sentis voler comme un oiseau. On n'avait pas l'impression de tomber dans le vide, en fait, je me serais crue sur un coussin moelleux.

Cinquante secondes de chute libre. Cinquante secondes qui parurent durer cinq minutes.

J'étais au-dessus des nuages, planant, accrochée à mon beau James Dean... Quel bonheur ! Je gardai les yeux grand ouverts pour ne rien manquer du paysage incroyable qui s'offrait à moi.

Soudain, James déclencha l'ouverture du parachute.

Un sentiment de liberté m'envahit alors que nous planions au-dessus des vastes terres du Tennessee. Je serais demeurée dans le ciel pour toujours...

Lorsque nous posâmes les pieds sur le sol, je compris que le petit être humain que j'étais n'avait le droit à ce genre de sensations que quelques secondes à la fois. J'appartenais à la terre...

— On recommence ! m'exclamai-je sous l'effet de l'adrénaline.

— Je suis content que tu aies apprécié. On va manger un hot-dog ?

Je souris. *Après avoir bu du vin rouge à Venise avec Julien et dégusté des* pierogis *à Varsovie avec Zirka, je vais manger un hot-dog à Memphis avec James!...*

Il n'avait peut-être pas la classe du vin rouge et des *pierogis*, ce hot-dog, mais il était vachement bon, et James...

James commençait à me plaire de plus en plus, et cela, je ne le voulais pas. Je venais tout juste de refermer la porte de mon cœur pour Zirka, et je souhaitais qu'elle demeurât fermée pour un moment.

Nous passâmes l'après-midi à nous promener dans une réserve naturelle peuplée d'animaux sauvages; plutôt surréaliste, compte tenu de la proximité de la ville. Puis, James m'emmena sur les bords du Mississippi. Le soleil se couchant sur la rivière faisait don au ciel des plus belles couleurs. James me prit par la main.

— Tu sais que tu es mon premier ami américain? fis-je, tentant de lui faire comprendre subtilement que je ne voulais que de son amitié.

— Est-ce une façon de me dire que tu ne veux pas que je te saute dessus? demanda James en riant.

Je rougis; il m'avait démasquée. *Mais c'est qu'il n'est pas con, ce mec!*

— Euh... non. Je disais cela pour faire la conversation.

— Alors tu *veux* que je te saute dessus...

— Non... je ne veux rien du tout. Et puis, tu as une copine, lui rappelai-je.

Il me fit le plus beau des sourires, que je n'arrivai pas à déchiffrer. L'avait-il quittée ? Je me surpris à espérer qu'il l'eût fait. *Mais qu'est-ce que tu veux, Morgane ?*

Alors que nous regardions le soleil entrer dans l'eau du Mississippi, la panique m'envahit. Étais-je en train de retomber amoureuse ? Non, il ne le fallait pas.

Regarde les ombres cachées dans les méandres de ton cœur..., me dit la voix de ma conscience.

Quelles étaient ces ombres ?...

J'avais rencontré l'amour et j'avais fui loin, très loin, jusqu'ici, devant ces eaux sombres qui reflétaient maintenant la vérité. Je n'étais pas partie car je ne pouvais pas pardonner, mais parce que j'avais eu peur.

Tu as peur d'aimer...

Voilà ce que me susurra à l'oreille le majestueux serpent.

J'étais une colombe qui avait peur de ce qui pourrait lui couper les ailes...

11

Memphis, Tennessee, 29 août

Le lendemain, Maëva se sentait déjà beaucoup mieux. Nous décidâmes alors de visiter Graceland – nul ne peut aller à Memphis sans s'arrêter à Graceland, la villa d'Elvis Presley, nous avait dit Catherine, la mère de James.

Ce pèlerinage sur les traces du chanteur me fit réaliser à quel point les Américains pouvaient idolâtrer, je dirais même « diviniser » des artistes. Pour ces gens qui pleuraient en entrant dans la chambre où il avait dormi, le King était un dieu. Et alors que les églises se vidaient de plus en plus, les salles de cinéma et de concert se remplissaient...

Qu'avait fait Dieu pour perdre ainsi sa popularité ? Oublié de montrer ses fesses, comme le faisaient toutes les chanteuses populaires ? Ou de s'agripper l'entrejambe en chantant ?...

Ce qui me frappa, dans ce musée-résidence où tout était demeuré exactement comme en 1977, ce fut l'absence d'information sur la mort du King. Comment le roi était-il mort? Ah oui: trop de médicaments. Parce que maintenant, les dieux devaient prendre des médicaments pour affronter la réalité du monde des hommes. Consommer des médicaments, subir des liftings, des liposuccions... et tout cela pour demeurer immortels.

Elvis *était* immortel, je m'en rendis compte à Graceland. Et j'eus ses chansons dans la tête toute la journée: *But I can't help falling in love with you...* (Je ne peux m'empêcher de tomber amoureux de toi...)

Après cette visite, nous nous rendîmes au centre-ville pour une promenade à pied dans la rue principale. Les trottoirs étaient étonnamment déserts; Memphis est une ville qui vit surtout le soir, nous apprit James.

Nous ralentîmes peu à peu le pas et nous laissâmes envelopper par cette langueur qui caractérise les villes du Sud. Nous finîmes par nous asseoir sur un banc et prîmes plaisir à regarder les gens passer, en dégustant une glace à la vanille.

— Venez! lâcha James lorsqu'il vit arriver un vieux tramway, nous sortant de notre léthargie.

Nous sautâmes à bord et visitâmes ainsi le reste de la ville, qui n'avait rien d'impressionnant, avec ses magasins et ses tours de bureaux.

— Alors, mademoiselle la Française pédante, pas impressionnée par Memphis?

— Sérieusement... non! Tu n'as pas un truc insolite à nous montrer?

James demeura silencieux quelques secondes, alors que le tramway ralentissait.

— Nous y voici ! Votre site « insolite », annonça notre ami en débarquant du train devant le luxueux hôtel Peabody.

— Comment savais-tu que j'allais te demander cela ? le questionnai-je, étonnée, en m'avançant sur le trottoir.

— Je commence à te connaître, ma belle Morgane, dit-il en me faisant un clin d'œil.

Ma belle Morgane... Mon beau James, si tu continues, je vais être charmée...

Nous entrâmes dans l'hôtel. Au milieu du hall, des dizaines de curieux attendaient en regardant l'ascenseur.

— Qu'est-ce qu'on fait ici ? demanda Maëva. Qui va sortir de cet ascenseur ?

— Suspens..., murmura James, visiblement amusé.

— Madonna ? Clint Eastwood ? Brad Pitt ? tenta de deviner la Tsigane.

— Elvis Presley ! fis-je.

Soudain, la porte de l'ascenseur s'ouvrit. Personne. Je baissai les yeux et remarquai cinq canards qui s'avançaient vers la foule. Les mignons volatiles traversèrent le hall jusqu'à une fontaine de marbre dans laquelle ils allèrent prendre leur bain.

— Ils sont chou, soupirai-je en me tournant vers James.

— C'est ainsi depuis les années trente. Ç'a commencé par des chasseurs qui avaient bu un peu trop de whisky. De retour de la chasse, ils s'amusèrent à mettre dans cette fontaine les canards, toujours vivants, qu'ils avaient attrapés, pour voir la réaction des gens. Celle-ci fut enthousiaste, alors l'hôtel décida de laisser les canards batifoler dans l'eau.

Nous regardâmes un moment les canards, puis nous en profitâmes pour visiter les somptueuses galeries de l'hôtel, qui abritaient de véritables pièces de collection. Ce n'était pas le Louvre, mais la « Française pédante » que je suis se retint de critiquer.

— Qui eût cru que la plus intéressante visite de toute cette ville, ce serait un hôtel ? remarquai-je alors que nous en sortions.

— Une dernière visite et on va manger, proposa James.

Nous retournâmes à la voiture et James nous conduisit jusqu'au Lorraine Motel.

— James... tu veux aller au motel ? Je vous laisse si vous voulez..., proposa Maëva sans que l'on sache si elle plaisantait ou non.

— Euh..., fit l'acteur, un peu déstabilisé par cette idée. Non, je voulais juste vous montrer l'endroit où fut assassiné le pasteur Martin Luther King.

— Mais je blaguais, fit mon amie tandis que je lui faisais les gros yeux. Qu'est-ce qu'il y a à l'intérieur ?

— Le Musée national des droits civiques.

Alors que nous visitions ce petit musée fort intéressant, je tombai sur une citation de King – l'autre King, le pasteur – que je partageai avec Maëva et James :

«Quel est le profit pour un homme de gagner le monde entier de moyens — avions, télévisions, éclairage électrique — et perdre la fin: l'âme?»

— Martin Luther King a mis le monde en garde contre l'*American way of life* et le capitalisme; nous aurions dû l'écouter. La course à la consommation nous détourne de ce qui est essentiel dans la vie, commenta James.

— Et qu'est-ce qui est essentiel? demandai-je, me rendant bien compte qu'il était difficile de répondre à cette question existentielle.

James, néanmoins, y répondit:

— Le bien, le juste, le bon, la spiritualité...

J'étais réellement surprise d'entendre de telles paroles sortir de la bouche d'un acteur de vingt-cinq ans.

— Martin Luther King l'a dit: la fin, c'est l'âme, conclut Maëva.

— Et l'âme, qu'est-ce que c'est? m'enquis-je.

— C'est ce qui est immortel en nous et qui nous pousse à donner le meilleur de nous-mêmes, répondit James.

Belle réponse. Ça y est, je suis charmée...

— Tu prônes l'antimatérialisme, mais tu es toi-même l'un de ses prophètes, en tant qu'acteur de cinéma américain, l'une des plus grosses machines capitalistes du monde..., dit Maëva.

— Oui, je sais, admit James, presque honteux. Quel paradoxe!... Mais mon but est d'apprendre le métier, puis de faire assez de pognon pour réaliser mes propres films, qui véhiculeraient mes valeurs.

— D'accord, tu es pardonné, dis-je en souriant. Tu m'engageras dans l'un de tes films ?

— Je t'engage pour *tous* mes films, ma belle...

— Bon, ça va, prenez-vous une chambre ! lança Maëva en riant.

Je lui fis de nouveau de gros yeux et elle me répondit par un grand sourire.

Le soir venu, nous flânâmes dans Beale Street, une rue piétonne qui se transformait en boîte de blues géante à la tombée de la nuit. La population envahissait les trottoirs, tandis que les bars diffusaient de la musique à fort volume et que des orchestres jouaient çà et là dans les squares ou entre les bâtiments.

L'ambiance était chaude et nous marchâmes tous les trois bras dessus, bras dessous au son du blues.

— Vous êtes super, les filles ! Je m'amuse rarement autant, nous confia James.

— Je ne te crois pas, avec toutes les soirées hollywoodiennes auxquelles tu es invité ! dit Maëva.

— Les gens sont superficiels dans ces soirées-là, pas comme vous...

Je lui embrassai la joue et Maëva fit de même.

— Où pensiez-vous aller avant de vous rendre à Los Angeles ?

Nous nous regardâmes en haussant les épaules.

— Tant qu'on finit ce voyage par le Grand Canyon, le reste nous importe peu, répondis-je.

— Je vous propose le Nouveau-Mexique. J'ai un vieil ami à Santa Fe qui serait certainement très heureux de nous accueillir.

Santa Fe... Ce nom évoquait en moi les cow-boys, Billy the Kid et les couchers de soleil orangés dans le désert.

— Va pour Santa Fe !

12

Route Memphis – Santa Fe, 3 septembre

Après avoir passé une merveilleuse semaine au Tennessee – à faire des promenades sur les rives du Mississippi le jour et des virées dans les boîtes de blues la nuit –, nous prîmes la direction du Nouveau-Mexique, mille six cents kilomètres devant nous.

En Arkansas, nous arrêtâmes prendre un café à Little Rock, là où, en 1957, neuf élèves noirs avaient été admis dans un lycée blanc. Cet événement a marqué la fin de la ségrégation scolaire.

Puis, nous traversâmes les Boston Mountains, où nous eûmes droit à des paysages à couper le souffle.

Nous pénétrâmes ensuite dans l'État de l'Oklahoma, où James nous fit un petit cours d'histoire, nous apprenant que cette région appartenait jadis à la France, qui la céda aux Américains au début du XIXe siècle. Puis, le gouvernement fédéral commença à déporter des tribus amérindiennes du sud-est vers ces espaces rebaptisés le « Territoire indien ».

Les Chickasaws de Louisiane, les Cherokees de Géorgie, les Séminoles de Floride et bien d'autres tribus y furent installées, souvent de force, et de nombreux Amérindiens périrent durant le voyage.

C'était la même histoire qui se répétait dans toute l'Amérique, du nord au sud. Que ce soit les Amérindiens, les Mayas ou les Caraïbes, tous avaient été quasiment exterminés par les colons blancs.

On nous apprenait à l'école élémentaire que Christophe Colomb avait découvert l'Amérique. Mais il n'avait rien découvert ; des gens habitaient ces terres depuis des temps immémoriaux. Seulement, les Européens l'ignoraient. Et ces derniers, au lieu de tisser des liens de fraternité avec ces peuples « découverts », volèrent toutes leurs ressources et les exterminèrent. Elle était belle, l'histoire de notre monde...

À partir d'Oklahoma City, nous roulâmes sur la fameuse Route 66, la première route transcontinentale goudronnée en Amérique, qui reliait Chicago à Los Angeles depuis les années trente. Parfois splendide, parfois totalement délabrée, cette route mythique fut à la hauteur de mes attentes de touriste à la recherche de sensations fortes...

Au Texas, nous croisâmes de nombreux petits commerces et villages qui vivaient de la Route 66 et qui furent abandonnés, figés dans le temps. James ralentit alors que nous entrions dans l'une de ces villes fantômes.

— Vous savez que c'est près d'ici qu'eurent lieu les événements qui ont inspiré le film *Massacre à la tronçonneuse*? affirma-t-il le plus sérieusement du monde.

J'avais vu ce film dans lequel cinq amis traversent le Texas et entrent dans un territoire malsain et étrange où un boucher masqué les tronçonne sauvagement.

— Arrête, James. Cette histoire-là n'est que de la fiction, observai-je.

— Non, je vous jure, c'est une histoire vraie!

Assise devant dans la voiture, j'observai James pour voir s'il était sérieux. Aucun sourire.

Soudain, nous entendîmes au loin un bruit qui ressemblait à celui d'une tronçonneuse!

— Allez, James, accélère. On file d'ici.

James continua à rouler lentement, appréciant le paysage de la ville abandonnée. Le bruit résonna de nouveau, semblant s'être rapproché.

— Accélère, James! criai-je, à l'unisson avec Maëva.

— Mais non, les filles, c'était une blague. Ce n'est qu'un film...

On entendit de nouveau le vrombissement. Mon cœur fit un bond dans ma poitrine.

— Accélère! hurlai-je de plus belle.

James pouffa de rire en appuyant sur le champignon. Alors que nous quittions la ville fantôme, nous vîmes au loin un homme en train de découper à la tronçonneuse un vieux poteau électrique qui venait d'être remplacé.

— On l'a échappé belle. On aurait pu y rester, prétendis-je avant d'éclater de rire, m'apercevant que nous nous étions conduites comme des gamines.

— C'est incroyable de voir à quel point notre imagination peut nous faire croire n'importe quoi, remarqua James, qui avait bien rigolé.

Nous poursuivîmes notre chemin jusqu'à Amarillo, au Texas, où nous nous arrêtâmes pour voir le célèbre (!) Cadillac Ranch : dix Cadillac plantées les unes derrière les autres dans un immense champ labouré. Le summum de l'art américain !

Un fermier texan qui n'en pouvait plus de manger le maïs cultivé dans son champ a un jour eu la brillante idée d'y planter... de vieilles Cadillac !
C'est gratuit. C'est surréaliste. C'est n'importe quoi, et on aime ça !
Pas de machines distributrices de sodas, pas de vendeurs de souvenirs. Que des Cadillac.
Typiquement texan !

À partir du Texas, les grands espaces dont je rêvais s'ouvrirent enfin à nous. La végétation était aride et le paysage, totalement désertique. La route qui défilait sous les roues de notre décapotable se perdait tout droit à l'horizon.

J'avais l'impression d'être au diable vauvert, loin du monde des hommes, comme si, en m'éloignant des villes et de leur brouhaha, je me rapprochais de l'âme de la terre.

Je me sentais dans un lieu magique, comme si nous avions traversé un portail qui nous avait emmenés ailleurs... dans un ailleurs calme et paisible...

Un peu après la frontière du Nouveau-Mexique, nous eûmes droit à un époustouflant coucher de soleil, à une douce lumière orangée qui déclencha en moi une émotion de bonheur intense.

— C'est beau, la vie..., soupirai-je.

James, qui conduisait, tourna la tête un moment pour me sourire, puis regarda dans le rétroviseur Maëva qui somnolait sur le siège arrière.

— C'est toi qui es belle, me complimenta-t-il tout bas.

— James...

— Quoi ? ! ? On n'a plus le droit de complimenter une amie ?...

Je ne répondis pas, détournant les yeux et observant le désert qui s'étendait aussi loin que mon regard portait.

J'étais si bien ; j'aurais voulu arrêter le temps et demeurer dans ce lieu magique, devant ce coucher de soleil vibrant, avec ce garçon... pour l'éternité.

Malgré les apparences, les chaudes paroles de James m'étaient allées droit au cœur.

13

Après seize heures de route, nous arrivâmes à Santa Fe. Nous garâmes la voiture devant la demeure de l'ami de James, une grande villa blanche entourée de verdure et de fleurs.

— Il est tard, on va le réveiller, remarquai-je alors que James ouvrait la porte d'entrée.

— Mais non, il ne s'endort jamais avant l'aube.

— L'aube ? ! ?

— C'est un fêtard...

Nous entrâmes et nous dirigeâmes vers le salon, une grande pièce au haut plafond où étaient disposés des divans et fauteuils de différents styles, et au centre de laquelle trônait une table de billard. L'endroit était tout simplement magnifique. James nous emmena faire le tour du propriétaire.

— Comment ton ami peut-il se payer une telle demeure ? demanda Maëva, de retour dans le salon.

— Le père de Martin est très riche.

Un garçon entra dans la maison par une porte-fenêtre qui donnait sur une vaste cour. Grand, musclé, de longs cheveux blonds : il ressemblait à un surfeur californien, et je vis dans les yeux de Maëva qu'il lui plut immédiatement.

— James ! s'exclama-t-il.

Les deux amis se firent une chaleureuse accolade, se tapant dans le dos comme le font les mecs.

— Martin, je te présente Morgane et Maëva.

— C'est superbe chez toi, observai-je.

— C'est l'argent de mon vieux qui paye tout ça... mais ça m'inspire d'habiter ici, alors, je ravale mon orgueil.

— Martin est peintre, nous apprit James.

— C'est vrai ? On peut voir tes œuvres ? demanda Maëva, que je soupçonnai d'être plus intéressée par le bel artiste que par ses tableaux.

— Oui, bien sûr. Allez sur la terrasse, il y a plein de monde, pendant que je montre mes toiles à...

— Maëva, répéta celle-ci, avant de le charmer par son plus beau sourire.

Martin emmena Maëva dans son studio à l'étage, tandis que James et moi sortîmes à l'extérieur.

Autour d'une immense piscine étaient réunis une dizaine d'amis de Martin. Nous prîmes place à une table aux côtés de trois filles que James connaissait. Elles étaient plutôt sympa et nous discutâmes de tout et de rien.

Trente minutes plus tard, Maëva et Martin ressortirent de la maison. Maëva vint nous rejoindre tandis que Martin sautait dans la piscine.

— Alors, elles sont comment, ses toiles ? la questionnai-je.

Maëva vit à mon grand sourire que je lui demandais en réalité ce qui les avait retenus si longtemps.

— Il en a beaucoup..., expliqua-t-elle en souriant elle aussi.

— Il te plaît ? Pourtant, il n'a pas le look gitan..., la taquinai-je.

— Je pourrais faire avec...

— S'il couche avec toi, ce ne sera que pour un soir.

Les paroles directes de James nous décontenancèrent.

— Je dis cela pour que tu saches à quoi t'attendre avec lui, ajouta-t-il. Il est avec une fille différente chaque soir.

— Maëva, viens te baigner ! cria Martin.

La Tsigane hésita un moment, puis enleva son jean et son t-shirt, et plongea dans l'eau en sous-vêtements. Elle avait fait cela si rapidement que personne n'avait remarqué ses beaux dessous en dentelles.

James et moi nous dirigeâmes vers un divan un peu à l'écart.

— Pourquoi as-tu dit cela à Maëva ?

— Parce que je l'aime bien. Je ne voudrais pas qu'elle soit blessée...

— C'est une grande fille, précisai-je en la regardant arroser Martin dans la piscine.

Ils s'amusaient follement.

— Tu veux te baigner ? proposa James.

— Non, pas envie.

— Tu veux qu'on se cuisine un truc ?

— Pas vraiment faim.

— Tu veux... que je t'embrasse ?

Il me fixa dans les yeux, attendant une réponse. Mon cœur se mit à battre la chamade. Je regardai ses lèvres attirantes. J'avançai la tête vers lui, soutenant son regard. J'avais envie de sentir ses lèvres sur les miennes, ses mains sur ma peau...

Puis, le souvenir de Zirka surgit du fond de ma mémoire.

Je reculai.

— Non, je ne veux pas, lançai-je sans plus d'explications.

Je me levai et rentrai dans la maison. Je ramassai mon sac à dos laissé dans le salon et montai à l'étage. J'y trouvai une chambre qui semblait prête à accueillir un invité et m'y installai. Par la fenêtre, je regardai Maëva dans les bras de Martin, et James, toujours assis au même endroit, songeur. J'eus envie de redescendre pour être avec lui, mais je demeurai immobile.

Je me dévêtis, me glissai sous les draps et m'endormis aussitôt.

14

Santa Fe, Nouveau-Mexique, 4 septembre

Je m'éveillai alors que le soleil était déjà haut dans le ciel. Je m'étirai et ma main toucha un bras.

— James! Qu'est-ce que tu fais là?

Ce dernier était étendu sur la couverture, encore tout habillé. Il se réveilla au son de ma voix.

— Les autres chambres étaient toutes prises...

Il se leva aussitôt et, sans un regard dans ma direction, il sortit de la chambre. Je me levai aussi.

Quand j'arrivai à la cuisine, Martin était en train de cuisiner des *quesadillas*, des grandes tortillas remplies de fromage fondu. Je m'assis à table entre James, qui avait l'air d'avoir mal dormi, et Maëva, qui avait l'air de n'avoir pas dormi du tout... mais d'avoir eu beaucoup de plaisir!

Martin plaça une assiette de *quesadillas* et un espresso devant moi, et je me régalai en silence.

— Vous faites la gueule? demanda Maëva, les yeux brillants.

James ne répondit pas. Moi, je ne faisais pas du tout la gueule. Au contraire, j'étais à Santa Fe et j'avais l'intention de m'y amuser.

Je mis ma main sur celle de James pour qu'il me regarde. Quand j'eus capté son attention, je lui fis un grand sourire, comme pour lui dire que ce serait idiot de laisser notre fin de soirée de la veille gâcher la journée qui commençait.

Je vis dans son regard qu'il avait lu dans mes pensées. Il réfléchit quelques secondes et sourit lui aussi. Et voilà, plus personne ne faisait la gueule.

— On va dans le désert ? proposa Martin. Comme dans le bon vieux temps...

James comprit visiblement de quoi il parlait, car son visage s'illumina.

— Oh oui ! Avec les deux plus belles nanas du coin ! plaisanta-t-il.

— Qu'est-ce que vous faisiez dans le désert, dans le bon vieux temps ? demandai-je, curieuse de savoir dans quoi ils voulaient nous embarquer.

Les deux amis se regardèrent en souriant, puis décidèrent de garder le silence.

Avant que nous partions, Maëva vint vers moi.

— Alors, James et toi ?

— Quoi, James et moi ? Il n'y a rien entre James et moi.

— Ah bon. J'avais cru que...

— Il ne m'intéresse pas, Maëva. Mais Martin et toi...

Elle m'adressa un sourire de fille amoureuse. J'étais heureuse pour elle, même si je me doutais que son bonheur serait éphémère.

Une demi-heure plus tard, nous roulions en direction du désert, Martin et Maëva dans une Mercedes, James et moi dans une Ferrari, petits jouets de la collection du paternel de notre hôte.

— Allez, James, dis-moi ce qu'on va faire, insistai-je.

— Tu as vu *La Fureur de vivre*?

— Le film avec James Dean? Oui, je l'ai vu...

Et là, je compris.

— Vous allez faire la course!

— Non... *Nous* allons faire la course.

— Oh non! *Je* ne vais pas faire la course avec toi! Je serai Natalie Wood qui donne le signal du départ!

Nous quittâmes la route et roulâmes un bon moment jusqu'à ce que nous soyons sur une vaste étendue désertique. Les deux voitures s'immobilisèrent l'une à côté de l'autre.

— Alors, James Dean, t'es prêt? demanda Martin.

— Oui, Buzz!

— On ne va pas rouler vers un ravin, hein, James? m'informai-je, soudain inquiète.

Dans *La Fureur de vivre*, Jimmy et Buzz faisaient la course à la mort dans des voitures volées. Mais on n'avait pas de voitures volées, et personne n'avait envie de mourir!

— N'aie pas peur, on va s'éjecter à temps, dit James avant de me faire un clin d'œil.

Cela ne me rassura pas le moins du monde. Je ne connaissais pas ce Martin et, en fait, je ne connaissais pas vraiment James non plus. Comment savoir de quoi ils étaient capables ?...

Je m'apprêtai à ouvrir ma portière et à sortir, mais c'était trop tard. Comme s'ils avaient entendu un signal de départ, les deux garçons appuyèrent simultanément sur l'accélérateur.

Les deux bolides filèrent à vive allure sur le sable chaud du désert du Nouveau-Mexique, passant en quelques secondes de zéro à cent kilomètres à l'heure.

James tournait parfois la tête pour voir où se trouvait la Mercedes : les deux voitures étaient toujours côte à côte. Il accéléra encore, montant à cent cinquante kilomètres à l'heure.

Autour de nous, rien d'autre que le désert.

Aucun obstacle, aucun feu de circulation, aucune voiture venant en sens inverse...

Je compris alors que je n'avais pas de raison d'être inquiète. Je me détendis et finis par apprécier la vitesse.

Cent quatre-vingts kilomètres à l'heure ! C'était carrément génial !

Je tournai la tête et vis Maëva qui souriait en tendant la main par la fenêtre. Je laissai échapper un cri de joie alors que nous fendions l'air dans notre bolide.

— Tu m'en auras fait voir de toutes les couleurs, James Dean !

— Tout ça pour t'en mettre plein la vue...

Il tourna la tête : ses yeux étaient remplis de douceur...

— Regarde en avant ! criai-je, reprenant conscience que nous roulions à près de deux cents kilomètres à l'heure.

— Pourquoi ? Il n'y a rien en avant ! plaisanta-t-il.

La course ne se termina pas au fond d'un ravin, mais lorsque la première voiture (la nôtre !) passa une ligne imaginaire entre deux rochers. Visiblement, ce n'était pas la première fois que les deux amis commettaient ce genre d'extravagance.

— Je suis le meilleur ! Le meilleur ! s'exclama James en sortant de la Ferrari une fois la course terminée.

— Je t'ai laissé la voiture la plus rapide ! prétexta Martin.

— Tu dis cela chaque fois, pouffa James.

— C'est parce que je te laisse TOUJOURS la meilleure voiture ! Et puis, sans voiture, serais-tu vraiment le plus rapide ?

Les deux mecs échangèrent un regard et détalèrent en même temps, ce qui nous fit sourire. Amis depuis des années, ils n'avaient pas l'air de vouloir prouver quoi que ce fût l'un à l'autre, mais semblaient tout simplement heureux de se retrouver.

Ce soir-là, Martin invita encore une douzaine d'amis à faire la fiesta autour de la piscine. Il nous prêta, à Maëva et moi, des maillots de bain – il avait une dizaine de bikinis (sexy, bien entendu) pour dépanner les jeunes femmes qui venaient chez lui.

Les invités commencèrent à arriver à la tombée de la nuit.

Assise sur une chaise longue, j'observai la scène : Maëva tentait de se rapprocher de Martin, mais ce dernier avait jeté son dévolu sur une nouvelle fille, une grande brune trop bronzée. Pour un instant, je m'attristai de voir mon amie ainsi rejetée. Mais cela ne dura pas. La Tsigane dirigea alors son attention vers le plus beau mec de la soirée : James.

Quoi ? ! ? *Mon* James...

Mais qu'est-ce que je pensais là ? Il n'était pas *mon* James.

Et à qui la faute ? demanda la petite voix de ma conscience.

Je regardai Maëva s'approcher de la star de cinéma comme un félin de sa proie. Elle alla ronronner contre son épaule, usant de tout son charme de magicienne pour le séduire.

Elle lui murmura des paroles à l'oreille et je le vis sourire, rire même.

Mon cœur se serra. Allait-il succomber aux charmes de la belle de l'Est ?

Non... il ne voudra pas d'elle, pensai-je. *C'est moi qu'il aime.*

Oui, mais tu l'as rejeté, me rappela la voix rabat-joie. Et elle avait bien raison.

Je vis James faire des yeux le tour de la cour, comme s'il cherchait quelqu'un du regard. Qui ? Moi ?

Il ne me vit pas ; j'étais en retrait.

Son regard revint sur Maëva, qui prit sa tête entre ses mains et posa ses lèvres sur les siennes. Je baissai les yeux alors que ma meilleure amie embrassait... Mais qui était-il pour moi, ce mec ?

Mon amoureux ? Non.

Et pas même un vrai ami : je ne le connaissais que depuis quelques jours.

Ils pouvaient bien s'embrasser, je n'en avais rien à cirer !

Menteuse..., souffla la voix dans ma tête.

Bon, d'accord, cela me faisait quelque chose. Mais je connaissais les filles : Maëva ne faisait qu'essayer de rendre Martin jaloux en flirtant un peu avec son ami. Elle n'allait pas coucher avec James.

Soudain, je les vis partir. Ils disparurent dans la maison.

Et moi, je demeurai là, seule sur ma chaise longue, abasourdie. À cet instant, j'aurais aimé être ailleurs.

N'importe où, mais ailleurs... Dans ma chambre de Paris avec Julien à mes côtés, ou alors dans la caravane de Zirka.

Mais je les avais tous les deux quittés. Et maintenant, je me sentais seule.

Profondément seule...

15

Santa Fe, Nouveau-Mexique, 5 septembre

Le lendemain matin, je me levai la première. J'étais en train de boire un café en observant un couple d'oiseaux par la fenêtre lorsque Maëva et James sortirent d'une chambre du rez-de-chaussée. Je continuai à regarder dehors.

— Alors, qu'est-ce qu'on fait aujourd'hui ? demanda Maëva.

Je n'en revenais pas qu'elle ait pu coucher avec Martin un soir et avec James le lendemain ! Je bus une gorgée de café et tentai de calmer l'ouragan qui ravageait mon cœur, détruisant tout sur son passage. Mes sentiments oscillaient entre la colère, la jalousie et la tristesse. Mais, orgueilleuse, je choisis de ne rien laisser paraître de mes états d'âme.

— Ça vous dirait de visiter Santa Fe ? demanda Martin en sortant de sa chambre (seul, pas de grande brune trop bronzée avec lui...).

— Oui, super, acquiesça Maëva.

— Morgane ? demanda James.

— Oui, parfait.

J'essayai d'avoir un ton joyeux, mais cela ne dut pas fonctionner, car James ajouta :

— Ça va, Morgane ?

Le piège ! Répondre avec trop d'enthousiasme à ce genre de question démontre qu'on essaie de dissimuler la vérité, tandis que répondre avec froideur montre clairement que ça ne va pas. Il faut donc répondre de façon très nonchalante, comme si on ne comprenait pas pourquoi on nous a posé cette question.

— Oui, ça va, répondis-je.

Dix sur dix ! Ils n'y virent tous que du feu.

Tous ? Non, pas tous, malheureusement. L'un d'entre eux savait détecter les mensonges.

Alors que Martin et Maëva allaient se préparer à partir, James me fixa droit dans les yeux. Je ne lui souris pas ; j'étais incapable de lui cacher ma déception. Et il put voir ce que je ressentais sur mon visage.

Il m'adressa un léger sourire et je détournai la tête. J'allai poser ma tasse de café vide dans l'évier et sortis de la maison, prête à partir.

Nous garâmes la belle Édith dans une rue du centre-ville et partîmes à pied. Santa Fe, capitale du Nouveau-Mexique, était une ville de peintres et de sculpteurs, un centre important des arts et de l'artisanat indiens.

Je fus immédiatement charmée par cette ville unique dont la culture métissée alliait les influences indienne, espagnole et américaine. Nous fîmes le tour du centre-ville, déambulant dans ses rues tortueuses et étroites, parfois en terre battue.

Puis, nous nous arrêtâmes sur un banc de la place centrale pour déguster des *carnitas*, des tacos achetés chez un marchand ambulant.

Martin nous apprit qu'un premier établissement avait été fondé à Santa Fe par Juan Martinez de Montoya vers 1607, ce qui en faisait la fondation européenne la plus ancienne du pays derrière Saint Augustine, en Floride.

— Les Espagnols ont eu recours au travail forcé des Amérindiens pour construire cette ville, nous expliqua Martin.

— Encore une histoire d'exploitation, remarquai-je.

— Beaucoup de grandes civilisations ont été créées et ont prospéré grâce à l'exploitation humaine, remarqua James. Et c'est toujours le cas aujourd'hui. Les pays qui sont puissants le sont parce qu'ils en exploitent d'autres...

— Et même, les humains sont supérieurs sur cette planète parce qu'ils ont exploité les règnes minéral, végétal et animal. On a assujetti les pierres, les plantes, les arbres et les animaux pour qu'ils répondent à nos besoins, déclarai-je.

— Mais les minéraux, les végétaux et les animaux n'ont pas... de conscience, protesta Martin. Ce n'est pas un crime que nous prenions des pierres pour construire une maison, des arbres pour fabriquer du papier et des animaux pour un bon barbecue. Ils sont là pour ça, non ?

J'étais complètement outrée par ses paroles.

— Ils n'ont pas de conscience ? ! ? répétai-je. C'est plutôt l'homme qui n'en a pas !

— Tu ne vas pas me dire que tu crois que les animaux ont une âme ! Ou que les pierres sont vivantes ! lâcha Martin en souriant.

Je ne savais pas quoi lui répondre. Au fond de moi, je sentais que, oui, les animaux avaient une âme et que les pierres étaient vivantes. Mais comment expliquer mon point de vue sans être ridiculisée ?

Pour ce gros balourd, même les filles n'ont probablement pas d'âme ! songeai-je. J'eus honte de cette pensée. Avais-je mangé du chien enragé ? Je me calmai et répondis de façon posée :

— Je crois qu'il existe des mondes invisibles dans lesquels vivent des êtres comme les esprits des plantes et des pierres... N'est-ce pas, Maëva ?

Je cherchai le soutien de Maëva la magicienne pour qui, je le savais, les arbres, les fleurs, les rivières, les montagnes, les pierres étaient des êtres vivants.

— Les mondes invisibles ? Vous croyez aux contes de fées, les filles ? plaisanta Martin.

Maëva et moi nous regardâmes. Et je vis dans son regard ce qu'elle pensait : *Non mais, quel con !*

Nous nous sourîmes, et cette manifestation de notre complicité me fit grand bien. Mon amie et moi nous étions un peu éloignées depuis que James était apparu dans le décor, et là, nous nous retrouvions.

— Oui, on croit aux contes de fées, n'est-ce pas, Morgane? lança haut et fort la Tsigane.

— Oui, on y croit! acquiesçai-je.

Et la discussion fut close. Martin leva les yeux en soupirant, tandis que James demeurait coi, préférant ne pas s'en mêler.

En après-midi, nous roulâmes vers le nord jusqu'à Taos, petite ville blottie entre le Rio Grande et de hautes montagnes culminant à près de quatre mille mètres. Durant deux heures, nous eûmes droit à des paysages à couper le souffle. J'oubliai tous mes soucis, me concentrant sur la nature qui nous entourait.

Nous nous arrêtâmes à Taos et prîmes un tour de ville en trolley. Nous visitâmes la grande place, le Paseo, datant de la fondation du village au début du XVIIe siècle. Les maisons du village, des constructions traditionnelles en adobe, entouraient cette grande place et constituaient une petite forteresse. Elles n'avaient qu'une seule entrée et aucune fenêtre.

— De quoi se protégeaient-ils? demandai-je à Martin.

— Des Indiens, répondit ce dernier.

On nous emmena ensuite dans la maison de Charles Bent, nommé gouverneur lorsque le Nouveau-Mexique passa aux mains des Américains.

— Quatre mois plus tard, il fut scalpé et assassiné devant ses enfants par des Indiens révoltés.

— Scalpé..., répétai-je. Dans mon pays, les révoltés *guillotinaient* les dirigeants.

— Et en Roumanie, on empalait les gens, plaisanta Maëva, faisant référence à Vlad l'Empaleur, le célèbre Dracula.

Mais nos plaisanteries devaient être de mauvais goût, car un couple de vieillards planté derrière nous nous fusilla du regard.

Nous roulâmes ensuite quelques kilomètres au nord de la ville où nous visitâmes Taos Pueblo, un petit village indien. Les Pueblos qui y vivaient de façon traditionnelle vaquaient à leurs occupations quotidiennes. Pour la Française que je suis, tout cela était aussi exotique que les châteaux de la Loire pour un Américain, cependant je n'appréciai pas ma visite.

J'eus l'impression d'observer des animaux dans un zoo. On avait pris leurs terres, et là, ils en étaient réduits à offrir des visites guidées de leur «habitat naturel» à des touristes qui se donnaient bonne conscience en leur jetant quelques dollars.

Ils avaient perdu leur dignité; l'argent mettait-il réellement un peu de baume sur leurs blessures?

On avait converti leur lieu de vie en attraction touristique pour Blancs en manque de divertissement.

Mais comment faire autrement?

Les peuples autochtones pouvaient-ils, dans cette ère technologique, continuer à vivre comme il y a deux mille ans?

Restait-il des lieux et des peuples préservés du monde moderne?

J'imaginai une terre où la nature retrouverait sa primauté et où les hommes vivraient de nouveau en harmonie avec la Terre Mère...

La terre était de plus en plus envahie par la technologie des hommes, exploitée, violée... Comment faire pour que cela cesse?

Il faut que les hommes changent leur regard et arrivent à percevoir le sacré dans ce qui les entoure, songeai-je.

Mais je suis une rêveuse...

Pueblo indien: Jadis havre de paix pour des hommes, des femmes et des enfants qui vivaient en harmonie avec la Terre Mère...
Puis sont arrivés les missionnaires espagnols, qui ont réduit les Indiens en esclavage.
L'homme est un loup pour l'homme...
Mais les loups blancs sont les plus cruels...

16

En sortant du village indien, nous prîmes la route surnommée Enchanted Circle, qui nous offrit des paysages impressionnants, notamment un plateau situé à plus de trois mille mètres d'altitude et entièrement recouvert d'herbe verte et jaune. Maëva et moi prîmes quelques photos sous le ciel menaçant.

Lorsque nous retournâmes à la voiture, l'orage éclata et le ciel s'ouvrit. Nous rentrâmes à Santa Fe sous une pluie torrentielle qui eut pour effet de rafraîchir un peu l'air, ce qui fut plutôt bienvenu.

Pour le repas du soir, Martin nous emmena dans une sorte de casse-croûte bondé de cow-boys. Les serveuses déguisées en pom-pom girls passaient d'une table à l'autre en repérant les plus gros mangeurs d'ailes de poulet, qui se voyaient décerner un prix.

— On ne va pas manger ici ? ! ? protestai-je à notre arrivée.

— Mais si, c'est drôle, vous allez voir ! affirma Martin.

Et en effet, ce fut drôle de regarder ces cow-boys s'empiffrer d'ailes de poulet pour se voir décerner le titre du plus gros glouton. Quelle classe !

On termina la soirée dans un immense saloon de trois étages. En arrivant, les garçons décidèrent de jouer une partie de billard, alors Maëva et moi nous assîmes au bar.

— Quel con, ce Martin..., lâcha d'emblée la Tsigane.

— Tu ne le trouvais pas si con le premier soir, lui rappelai-je.

— Il s'est bien amusé avec moi, puis il m'a jetée comme une vieille chaussette trouée.

— Mais James t'avait prévenue...

Elle me fusilla du regard.

— Je croyais que tu étais mon amie, Morgane !

À ces paroles, je pris conscience de ma méchanceté.

— Je suis désolée. Je suis de ton côté. C'est moche, la manière dont il t'a traitée.

— Merci.

— Et tu n'es pas une vieille chaussette trouée !

Elle me sourit. À ce moment, je lui pardonnai d'avoir couché avec James (lui en avais-je vraiment voulu ?...).

— Non, je ne suis pas une vieille chaussette, se reprit-elle. Et je vaux bien mieux que ce petit blond d'Américain !

— On aurait dû se tenir loin des mecs durant ce voyage, comme on se l'était promis.

— Mais James, il est super.

C'est bon, je ne veux pas les détails de votre nuit d'amour, pensai-je.

Mais je ne voulais pas faire de reproches à mon amie, et puis, je lui avais moi-même dit qu'il ne m'intéressait pas.

— Oui, il est super, concédai-je sans conviction.

Sur ces mots, les garçons surgirent derrière nous, James m'enserrant et Martin enserrant Maëva.

— Alors, les filles...

— Dégage! le coupa Maëva. Non mais, quel culot!

Martin la lâcha sans prendre au sérieux sa remarque hargneuse. Visiblement, il avait l'habitude des filles boudeuses.

Moi, je figeai, incapable de dire à James de ne pas me toucher. Son geste était amical, de quoi aurais-je eu l'air?... Je le laissai me tenir ainsi dans ses bras un moment. Il prit mon verre de coca et le but d'une traite. Puis, il fit tourner vers lui le siège sur lequel j'étais assise.

— Alors, la plus belle, je te paye un verre?

Il plongea son regard dans le mien, et je fus troublée. J'en oubliai presque que j'étais fâchée contre lui. Mais je me ressaisis.

— Non, merci. On aimerait rester entre filles ce soir, si ça ne vous fait rien.

— Pas de problème, répondit Martin, déjà prêt à repartir. Tu viens, James? J'ai repéré deux belles brunettes sur la piste de danse.

— Combien de fois vas-tu me repousser lorsque je viens vers toi? me murmura James à l'oreille.

Je n'en revenais pas. Il avait couché avec Maëva et il pensait que je voudrais encore de lui. Ces mecs étaient tarés ou quoi?

— Il y a deux belles brunettes qui vous attendent...

Je pris soin de lui faire un grand sourire pour que tout reste cool entre nous, et il continua à me regarder intensément, comme s'il attendait une réponse à sa question.

Finalement, Martin le tira par le bras et ils allèrent danser avec les deux brunes habillées en cow-girls.

Ma fin de soirée se déroula sous le signe de la déprime, alors que je regardais James danser et s'amuser avec d'autres filles.

Pourquoi est-ce que je laisse un mec assombrir mon ciel bleu ? me demandai-je. *Je suis bien plus forte que cela, il me semble...*

— Toi et moi, Maëva la magicienne..., dis-je soudain à mon amie, qui n'avait pas non plus le moral.

Maëva comprit ce que je voulais exprimer : l'amour pouvait être éphémère, alors, en bout de ligne, tout ce qui comptait, c'était l'amitié, c'était elle et moi.

— Toi et moi, Morgane la fée ! répliqua-t-elle.

Et nous retrouvâmes aussitôt le sourire.

17

Route Santa Fe – Tijuana, 10 septembre

Après avoir profité de l'hospitalité de Martin quelques jours de plus, nous partîmes pour Tijuana, au Mexique.

Pourquoi Tijuana ?

« *Welcome to Tijuana. Tequila, sexo y marihuana.* »

Bienvenue à Tijuana. Téquila, sexe et marijuana, chantait Manu Chao. Si un musicien en avait fait une chanson, cette ville valait certainement le détour.

Au petit matin, nous prîmes la route en direction de Phoenix. En fin d'avant-midi, nous traversâmes la frontière de l'Arizona, pénétrant sur les terres sèches et brûlantes du Wild West, le vrai royaume des cowboys et des Indiens.

Dans l'après-midi, nous fîmes un arrêt pour que je puisse me soulager dans les buissons. Le seul hic, c'était qu'il n'y avait pas de buisson ; nous étions en plein désert de l'Arizona. Je m'éloignai de la route et me dissimulai derrière Maëva et James, qui se moquaient gentiment de moi.

Maëva cessa de rire lorsque nous entendîmes des crissements continus indiquant la présence de serpents à sonnette !

— Tu es certain que ce ne sont pas des cigales ? demanda la Tsigane à James.

— Oh non, ce ne sont pas des cigales, affirma-t-il.

Je remontai mon pantalon à la vitesse de l'éclair et nous courûmes jusqu'à la voiture.

Voilà pour ma scène de western ; pas très classe...

Après l'Arizona, nous entrâmes en Californie, puis, vers vingt-trois heures, nous traversâmes la frontière du Mexique. Aucun problème ; nous arrivions du bon côté...

Quelques minutes plus tard, nous entrâmes enfin à Tijuana.

Prenant au sérieux son rôle de guide, James nous apprit que Tijuana, patelin frontalier d'à peine quatre maisons il y a cent ans, était aujourd'hui une ville de presque deux millions d'habitants. La cause initiale de cette croissance spectaculaire : la prohibition aux États-Unis, qui avait provoqué l'affluence massive des *gringos* (les Américains blancs) à la recherche d'alcool. Dans cette ville frontalière où le plaisir n'était pas défendu, les bars, les maisons closes et les casinos avaient poussé comme des champignons.

Voilà pour le cours d'histoire.

Nous prîmes une chambre dans un petit hôtel sympa rempli de jeunes Américains venus faire la fête de l'autre côté de la frontière. Il était minuit et nous n'avions pas du tout envie de dormir, alors nous laissâmes Édith dans le parking de l'hôtel pour nous balader dans les chaudes rues de Tijuana, ville des clandestins, de la mafia mexicaine et des trafics en tous genres.

— Tu es déjà venu ici? demanda Maëva à James, alors que nous déambulions sur le trottoir.

— Oui, bien sûr.

— Pourquoi «bien sûr»?

Il réfléchit un moment, puis répondit:

— Parce que tous les jeunes hommes de la côte ouest sont déjà venus faire un tour à Tijuana, par curiosité.

— Qu'est-ce qu'il a de si spécial, ce bled?

James demeura silencieux, cherchant comment nous faire comprendre la singularité de cette ville. Puis, il sentit qu'il ne pourrait pas nous l'expliquer; il devait nous la montrer.

— Allons à La Coahuila, proposa-t-il.

Il héla un taxi et nous nous installâmes tous les trois sur la banquette arrière.

— Qu'est-ce que c'est, La Coahuila? lui demandai-je.

— C'est un quartier...

— Dangereux?

— Pas trop, répondit-il en haussant les épaules.

Je ne lui faisais pas confiance sur ce coup-là. Il devait s'agir d'un quartier très dangereux, peut-être même trop dangereux pour d'innocentes touristes comme nous. Mais je n'avais pas peur. Du moins, ce soir-là, j'avais envie de vivre des sensations fortes. Alors, va pour La Coahuila.

Lorsque nous descendîmes du taxi, James nous prévint :

— Si on ne cherche pas la bagarre, il y a de fortes chances pour qu'on ne la trouve pas. Contentez-vous de ne pas vous éloigner de moi. Et ne faites pas les aguicheuses.

Je pâlis soudain sous l'effet de la panique. « Il y a de fortes chances... » Cela ne me rassurait guère. Mais trop tard, nous y étions, dans ce quartier mal famé. Alors, allons-y pour la visite !

La Coahuila est un vrai spectacle.
Le spectacle de la vraie vie, celle qui nous transperce le cœur par sa véracité...
Ce n'est pas un quartier pour les cœurs tendres, les romantiques en mal d'amour, les idéalistes, les sensibles, les purs...
C'est un endroit pour les cœurs blessés, les âmes vides qui ont soif de sensations fortes, les désillusionnés, les insensibles, les durs.
En comparaison, les villes bibliques de Sodome et Gomorrhe doivent ressembler à des jardins d'enfants...

Une jungle d'enseignes lumineuses annonçait des bars, des boîtes de nuit, des bordels et des hôtels qui louaient des chambres à l'heure. Sur les trottoirs, comme dans le rayon des viandes d'un supermarché, étaient alignées des centaines de prostituées – des Noires, des Blanches, des jaunes, des rouges, des petites, des grandes et des grosses – qui s'offraient aux passants (en majorité des hommes) pour quelques dollars.

James ouvrit une porte qui donnait sur un escalier obscur d'où émanait une odeur d'alcool.

— Vous étiez curieuses de connaître Tijuana, vous allez la rencontrer! Ne me quittez pas d'une semelle, ajouta-t-il avant de descendre l'escalier.

Nous lui obéîmes sans discuter et demeurâmes collées à lui alors que nous entrions au Zacazonapan, un bar obscur et infect situé dans une cave.

18

Tout était tranquille, mais le danger était palpable. Je sentais que sous n'importe quel prétexte – une parole prononcée un peu trop fort, un coup de coude involontaire, un éclat de rire, un regard trop appuyé –, les couteaux pouvaient sortir et la bagarre éclater.

Maëva ne semblait pas troublée ; elle avait déjà dû fréquenter ce genre d'endroit en Roumanie. Nous nous assîmes à une table.

— Est-ce que tu te sens en sécurité ici ? fis-je à l'intention de James, me demandant si j'étais la seule à avoir une boule dans l'estomac.

— Oui, bien sûr... tant que j'ai un mur derrière le dos, plaisanta-t-il.

Je compris qu'il cherchait à me donner des sueurs froides. Pourquoi ? Je ne sais pas, mais cela semblait l'amuser.

— Ici, tu n'abandonnes jamais ton portefeuille sur la table et tu ne t'excuses jamais si tu frôles quelqu'un, nous expliqua James.

— Tu viens souvent ici ? demandai-je.

— J'y suis venu à quelques reprises quand j'étais...
un jeune con ! lâcha-t-il un peu trop fort.

Toutes les têtes se retournèrent dans notre direction et je retins mon souffle, me demandant si tous
ces motards et ces trafiquants de drogue n'allaient pas
se lever et nous descendre pour notre arrogance de
petits Blancs « cons ». Cons d'être venus dans ce bar,
et arrogants d'avoir pensé qu'on pouvait s'y asseoir
comme des habitués, sans en payer le prix.

Nous n'étions pas à notre place, et je n'avais
qu'une envie : déguerpir. Mais James et Maëva semblaient apprécier l'ambiance, alors je me tus.

Après une trentaine de minutes, étonnamment,
j'étais tout à fait à l'aise. Les colosses de l'endroit ne
me semblaient plus du tout féroces.

Maëva choisit une chanson dans le juke-box,
puis se mit à danser. Malgré la musique entraînante,
j'avais envie de rester assise, tranquille. James
demeura avec moi.

— Alors, que penses-tu de Tijuana ?

— Ça valait le détour... mais pas un retour !
plaisantai-je.

— J'ai bien hâte d'être à Los Angeles, me confia
James.

— C'est chez toi ?

— Depuis cinq ans, oui, c'est là que j'habite.

James rapprocha son visage du mien et frôla ma
joue de sa main. Son regard devint câlin.

— Embrasse-moi, souffla-t-il.

— Si tu veux embrasser quelqu'un, va voir Maëva, lui répondis-je sèchement.

Il fronça les sourcils comme s'il ne comprenait pas pourquoi je lui faisais cette remarque.

— Ne fais pas l'hypocrite. Je vous ai vus l'autre soir à Santa Fe. Vous avez passé la nuit ensemble.

James me fit un grand sourire, comme s'il était soulagé.

— Oui, c'est vrai qu'on a passé la soirée ensemble... à discuter.

— Je vous ai vus vous embrasser.

— Maëva m'a embrassé, c'est vrai, admit-il. Mais je lui ai fait comprendre qu'elle ne m'intéressait pas.

— Je ne te crois pas. Au matin, vous aviez l'air...

— Je t'assure qu'on n'a rien fait, dit-il en haussant le ton. Pourquoi tu joues les Françaises chiantes ?

— Quoi ?! ? Tu m'as traitée de quoi ?

— De Française chiante, répéta James en appuyant sur chaque syllabe.

Je me levai sans un mot de plus et allai rejoindre Maëva.

— Ça va ? me demanda-t-elle en voyant mon visage en colère.

Je hochai la tête de haut en bas. Maëva ne me posa pas plus de questions.

Alors que nous dansions, je jetai discrètement des coups d'œil à la table où était toujours assis James. Une belle Mexicaine à la jupe un peu trop courte (à mon avis, bien sûr) s'approcha de lui et lui murmura quelque chose à l'oreille. Il lui sourit et l'invita à s'asseoir.

Je ne pouvais détacher mon regard du couple qu'ils formaient. James jeta un coup d'œil dans ma direction tandis que je détournais rapidement la tête pour ne pas qu'il s'aperçoive que je l'observais.

Lorsque je me tournai de nouveau, ils n'étaient plus là. Notre table était vide. Je pris le bras de Maëva et lui dis :

— James est parti.

— Quoi ?

— James est parti... avec une Mexicaine, je crois.

Alors que nous en étions à le maudire de nous avoir abandonnées dans un tel endroit, un homme d'une trentaine d'années à la peau foncée et aux cheveux noirs attachés sur la nuque vint vers nous.

— Bonjour, je suis Juan, se présenta-t-il.

J'allais lui faire signe de ne pas nous importuner lorsqu'il ajouta :

— James m'a demandé de veiller sur vous et de vous raccompagner à votre hôtel.

— Il t'a demandé de veiller sur nous ? ! ?

Je n'en croyais pas mes oreilles.

— Oui, ce n'est pas un quartier très sûr pour deux jolies Américaines.

— On n'est pas Américaines, on est Européennes, précisa Maëva, qui avait cessé de danser pour écouter notre conversation.

— Ah... des Européennes... Vous voulez rentrer maintenant ?

Nous acquiesçâmes d'un signe de tête.

— Allons-y, alors.

J'étais bien heureuse que James eût eu l'amabilité de nous trouver un « protecteur ». Mais qui était-il ? Un ami ?

— Depuis quand connais-tu James ? m'enquis-je auprès de Juan en sortant du bar.

— Ça fait plusieurs années. Il était venu ici avec des amis, pour s'amuser, et on a fait connaissance sur la plage. C'était avant qu'il soit célèbre. Maintenant, chaque fois qu'il revient à Tijuana, il passe me voir.

— Et il te demande de ramener ses copines à l'hôtel...

Juan ne répondit pas, se contentant de héler un taxi dans lequel il monta avec nous. Une question me brûlait les lèvres. J'hésitais à la poser, mais je ne pus me retenir.

— La fille avec qui il est parti... tu la connais ?

— C'est ma sœur Sofia, répondit le Mexicain.

— Ah... et ils sont de bons amis ?...

— De bons amis ? Oui, si tu veux...

Je n'osai pas pousser plus loin mon investigation. De quoi avais-je l'air avec toutes mes questions ? D'une fille jalouse...

Oui, j'étais horriblement jalouse.

C'était mon James, *mon* James...

J'étais surtout complètement folle.

Comment une chose que l'on n'avait jamais possédée pouvait-elle nous appartenir ?

Comment un être pouvait-il nous appartenir ?

Devant l'hôtel, je fis mine de payer le chauffeur, mais Juan insista pour régler lui-même la course.

Alors que nous sortions du véhicule, il nous conseilla de bien verrouiller la porte de notre chambre. Et il attendit que nous soyons rentrées pour repartir. Nous étions saines et sauves !

Nous nous étendîmes sur le lit.

— Il est parti avec une Mexicaine…, soupirai-je.

— Je ne comprends pas pourquoi il a fait cela.

— Pourquoi pas ?

— Eh bien… parce qu'il essaie de te séduire depuis des jours.

Je ne répondis pas. La colère que j'éprouvais envers Maëva refit surface. Malgré ce que m'avait dit James, j'étais toujours convaincue qu'elle avait couché avec lui.

— Il essaie de me séduire, mais il couche avec toi !

— Quoi ? ! ? Mais non… Tu parles de l'autre soir ?

— Vous êtes partis ensemble.

— Oui, c'est vrai. Je voulais rendre Martin jaloux. Mais on n'a rien fait une fois dans la chambre. On a discuté toute la nuit. Il m'a parlé de toi, de combien il te trouvait merveilleuse…

Je compris alors que j'avais réagi comme une idiote.

— Il m'a dit que vous n'aviez rien fait, mais je ne l'ai pas cru…, murmurai-je, rougissant comme un enfant qui a fait une bêtise.

— T'es pas croyable, Morgane ! Tu as ce beau mec, riche et célèbre, qui craque pour toi, et toi, tu joues avec lui. Pas étonnant qu'il en ait eu marre et qu'il se soit barré avec une autre !

J'eus soudainement envie de pleurer. Elle avait raison, ma copine : c'était ma faute. Bien mérité. Je n'étais qu'une pauvre conne...

19

Tijuana, Mexique, 11 septembre

Au matin, on toqua à la porte de notre chambre. Je me levai, les yeux pleins de sommeil, et j'allai ouvrir.

Dans l'embrasure de la porte, James, qui sentait la téquila et avait l'air de ne pas avoir dormi. Sans un bonjour ni un sourire, je le laissai entrer et me rendis dans la salle de bains tandis qu'il s'effondrait sur le lit.

— On va à la plage ! s'exclama Maëva, que je soupçonnai de faire exprès de parler fort.

Elle se leva et ouvrit tout grand les rideaux. La pièce s'emplit alors du magnifique soleil mexicain – plus chaud que tous les autres, j'en suis certaine.

— Ferme…, grommela James en se cachant le visage dans le creux du bras comme s'il eût été un vampire.

— Allez, debout ! ordonna Maëva à l'intention de notre ami fatigué.

On frappa de nouveau à la porte. Qui cela pouvait-il bien être ?

— Tu as dû oublier de la payer..., plaisantai-je.

Puis je me mordis les lèvres. C'était une blague de très mauvais goût qui ne faisait que laisser transparaître ma jalousie. Et quel manque de respect pour la sœur de Juan, que je ne connaissais même pas. C'était clair maintenant, je n'étais réellement qu'une pauvre conne.

James ouvrit les yeux et me regarda. Mais il ne répliqua pas.

Maëva ouvrit la porte. C'était Juan, vêtu d'un bermuda, d'un t-shirt et d'une casquette.

— Je vous emmène à la plage ? proposa-t-il, tout souriant.

— Oh oui ! acquiesça Maëva, qui alla immédiatement fouiller dans son sac et en sortit deux maillots de bain («empruntés» à Martin, se justifia-t-elle, la coquine...).

James dit quelques mots en espagnol qui, je crois, signifiaient : « Je veux rester couché. » Alors que j'«empruntais» les serviettes de la chambre d'hôtel, Juan tira James par le bras et le remit sur pied.

Ce dernier eut beau protester, quelques minutes plus tard, nous étions tous les quatre dans la voiture de Juan – une vieille Ford – en direction de la plage de Tijuana.

Durant tout le trajet, James observa le paysage en silence. J'eus soudain l'impression qu'il était plus fâché contre moi que je ne l'étais contre lui.

Nous arrivâmes finalement à la *playa*. L'endroit n'était pas très accueillant : une plage sans fin au bord de l'océan, coupée en deux par un horrible mur de métal rouillé.

Nous étions à l'extrême nord-ouest de l'Amérique latine, à la frontière des États-Unis, tout près de San Diego. Du côté mexicain, la plage grouillait de familles, de couples et de groupes d'adolescents qui se baignaient ou prenaient des bains de soleil ; du côté américain, la plage était totalement déserte, à l'exception d'une voiture de la Migra, la police anti-immigration des États-Unis. Immobiles comme des fauves au repos, les gardiens s'assuraient que personne ne viole cette frontière de fer.

— Ce mur fait quarante kilomètres de long, nous apprit Juan alors que nous nous installions sur le sable déjà chaud. Sa structure ressemble à celle de l'ancien mur de Berlin : une palissade de métal, puis une zone survolée par des hélicos, puis une grille.

J'étais fascinée par ce mur.

— Cela ne doit pas être si difficile de traverser, avançai-je. Il suffit d'attendre que l'hélico soit loin.

Juan me lança un regard et je vis dans ses yeux que je n'étais pour lui qu'une autre touriste qui ne comprenait rien. Alors, il m'expliqua gentiment...

— Si tu réussis à escalader le mur, à traverser la zone intermédiaire sans te faire repérer et à sauter le grillage, tu te retrouves devant un mur naturel encore plus long et impitoyable : des rivières aux eaux tumultueuses et des étendues désertiques brûlantes le jour et glacées la nuit. Chaque jour, des hommes, des femmes et des enfants y meurent noyés ou d'épuisement.

— Chaque jour ? répétai-je, ne pouvant me résoudre à croire que tant de Latino-Américains désiraient aller vivre aux États-Unis.

— Dans les cinq dernières années, plus de cinq mille personnes ont perdu la vie en essayant de traverser cette frontière, déclara James, qui s'intéressait à notre conversation.

— Cinq mille personnes... Et les gens essaient toujours de la traverser ?

— Le désespoir a toujours été plus fort que la peur, remarqua Juan.

J'observai ce mur qui s'enfonçait dans la mer à une centaine de mètres du rivage. Il était recouvert de plaques métalliques sur lesquelles on avait peint des centaines de têtes de mort ainsi que les noms de ceux qui étaient décédés en essayant de le franchir.

Mon cœur se serra à l'idée que le quotidien des Sud-Américains était si intolérable que certains risquaient leur vie pour passer du côté de l'Amérique, la vraie, là où l'on pouvait vivre heureux et prospère. Mais pourtant, de la pauvreté, j'en avais vu aussi beaucoup de l'autre côté...

Par les interstices du mur, je remarquai de nouveau que la plage était déserte du côté américain.

— Pourquoi personne ne se baigne de l'autre côté ?

— Les Américains prétendent que l'eau est polluée, répondit Juan.

— Mais c'est un mensonge, ajouta James. La vérité, c'est qu'ils veulent empêcher que des candidats à l'immigration nagent jusqu'à leur plage et se faufilent parmi les baigneurs.

Je remarquai un vieil homme qui buvait de la téquila, tête baissée, appuyé contre le mur. Il semblait observer les voitures aux pare-brise fumés qui patrouillaient de l'autre côté, à travers un trou par lequel il pourrait probablement se faufiler. La pensée me vint qu'il attendait peut-être un moment d'inattention de la part des policiers pour tenter sa chance et traverser ce mur...

Si on l'observe attentivement, on comprend ce que peut ressentir un Mexicain lorsqu'il regarde à travers ce mur marquant la frontière la plus traversée au monde.
Nul besoin, devant ce mur de cauchemar, d'une longue réflexion pour comprendre pourquoi tant de Mexicains prônent l'antiaméricanisme.
Le mur de Berlin était surnommé le « mur de la honte ».
Comment doit-on appeler celui-ci ?

— Je vais me baigner ! Qui vient avec moi ? demanda Maëva en enlevant son short et sa chemise, dévoilant ses belles courbes et son maillot de bain rouge et blanc.

— Je viens, répondit Juan en la suivant.

— Je reste ici, dit James, qui avait la gueule de bois.

— J'arrive, dis-je en commençant aussi à me dévêtir.

Je courus pour rattraper Maëva et Juan, puis ralentis à l'approche de l'eau. Je posai doucement mes pieds dans l'océan Pacifique.

Le Pacifique...

J'étais bien loin de chez moi.

Mais quel plaisir que cette liberté d'aller où me portait le vent.

Je regardai tendrement Maëva, une étoile sur mon parcours, croisée en Roumanie et toujours à mes côtés. Puis, je me retournai pour observer James, assis sur le sable un peu plus loin : ami ou amoureux ? Je l'ignorais. Mais c'était une rencontre qui demeurerait longtemps gravée dans ma mémoire.

Puis je souris lorsque Juan me fit un signe de la main pour que j'aille les rejoindre un peu plus loin dans l'eau. Juan... qui croisait aussi mon chemin, pour le temps d'une promenade en taxi, d'une baignade...

J'étais heureuse. À cet instant précis, j'oubliai tous mes soucis et je me permis d'être tout simplement heureuse.

Après cette baignade, nous décidâmes d'aller nous balader. Nous longeâmes le mur jusqu'à l'endroit où il devenait une clôture. De l'autre côté se trouvait un parc qui devait symboliser la fraternité entre les deux pays. Une vraie blague, quoi !

— J'ai déjà vu des familles installées de part et d'autre de la clôture, qui pique-niquaient ensemble en se faisant passer des tacos par les trous, nous confia Juan. Une fois, j'ai même assisté à un mariage avec, côté mexicain, le marié et le prêtre, et côté américain, la mariée et les témoins, qui jetaient du riz par-dessus la frontière. Les époux n'ont même pas pu s'embrasser à la fin de la cérémonie...

— Mais un jour, les autorités américaines ont décidé que ce parc était dangereux et ils l'ont fermé, prétextant que les gens passaient de la drogue à travers la clôture, continua James en pointant l'étendue d'herbe sèche.

— C'était faux ? demanda Maëva.

— Peut-être pas, mais quelle quantité de drogue peut-on passer par ces petits trous ?... C'est une farce quand on pense que les narcotrafiquants transportent de la drogue du Mexique aux États-Unis dans des camions, avec la complicité de la police américaine...

Nous continuâmes notre promenade en silence, chacun perdu dans ses pensées. Devant cette clôture, je pris conscience que ces frontières bariolaient la terre comme autant de cicatrices infligées par les hommes, outrages à la liberté.

Mais qui, le premier, avait décidé de séparer la planète en territoires ?

Qui avait décidé que la terre pouvait être possédée ?

Qui était le fou qui avait eu l'idée de placer des clôtures immondes au milieu des champs de fleurs ?

Les oiseaux, les animaux vivaient sans frontières... Seuls les humains avaient réussi à s'emprisonner eux-mêmes dans des concepts comme les pays, les nations, les peuples...

Je voulais être un oiseau et voler bien haut dans le ciel, là où l'on ne voyait plus la folie des hommes...

20

Tijuana, Mexique, 15 septembre

Quelques jours plus tard, c'était la fête nationale de l'Indépendance. Tout le Mexique festoyait pour commémorer l'appel au soulèvement en faveur de l'indépendance, lancé en 1810.

James, Juan, Maëva et moi nous rendîmes sur la place centrale de Tijuana où, comme dans la plupart des villes du pays, les gens se rassemblaient.

À vingt-trois heures, un orchestre entonna *El Grito*, une reconstitution de l'appel au soulèvement lancé par le père Miguel Hidalgo à ses compatriotes. Les gens, euphoriques, chantaient et dansaient dans la rue.

On pouvait lire la joie et le bonheur sur les visages de ces hommes et de ces femmes qui, ce jour-là, se rappelaient qu'ils étaient fiers d'être Mexicains.

Nous nous laissâmes transporter par cette joie et nous dansâmes avec eux. Il y avait tellement de gens dans les rues que James et moi fûmes séparés de Juan et Maëva par la foule enthousiaste.

Je saluai Maëva d'un signe de la main tandis qu'elle et Juan s'éloignaient. James me prit la main, par précaution. Nous demeurâmes un moment au centre de la fête, puis je dis à James que j'avais besoin de me désaltérer.

Il nous fraya un chemin hors de la foule, jusqu'à un vendeur de coca ambulant.

— Merci, fis-je en prenant la bouteille qu'il me tendit.

— Tu as envie de te balader loin de la foule ?

J'acquiesçai d'un hochement de tête et nous entrâmes dans une petite rue pavée. Je savais que cela pouvait être dangereux de se promener dans ces ruelles sombres, mais, étrangement, je n'avais pas peur.

Nous marchâmes au milieu de la rue déserte sans dire un mot, sirotant nos cocas avec, en bruit de fond, les cris de la foule dont nous nous éloignions de plus en plus.

Une centaine de mètres plus loin, nous débouchâmes sur un petit parc, où nous nous assîmes sur un banc de pierre. Au-dessus de nos têtes, la lune brillait de mille éclats.

— Quelle belle nuit..., m'émerveillai-je.

En prononçant ces mots, je pris conscience que j'avais envie de romance. Je tournai la tête vers James. Je l'avais repoussé une fois de trop ; il n'allait certainement pas faire les premiers pas.

— La Mexicaine de l'autre jour, Sofia, tu vas la revoir ? lui demandai-je à brûle-pourpoint.

— Oui, probablement, répondit-il sans tourner la tête vers moi.

— Tu la vois chaque fois que tu viens à Tijuana ?

— À peu près, oui...

— Et... tu l'aimes ?

Un silence pesant s'installa entre nous.

J'étais en train de lui faire une crise de jalousie – contrôlée, mais une crise tout de même – et je m'en rendis compte.

Morgane, qu'est-ce que tu veux ? demanda la voix de ma conscience.

Cette question me troubla. Que voulais-je réellement ?

J'essayai de réfléchir, mais mon cerveau semblait bloqué, déconnecté. Je ne savais pas ce que j'attendais de James pour l'avenir, mais là, en ce moment, je n'avais qu'une seule envie : sentir ses lèvres sur les miennes.

— James... embrasse-moi, dis-je enfin.

— Quoi ? s'étonna-t-il en se levant. Mais tu es incroyable comme fille. Tu me repousses, et juste quand je réussis à oublier que tu me plais, tu viens me dire que...

Je pris son visage entre mes mains et plongeai mon regard dans le sien.

— Que je veux être avec toi..., affirmai-je.

Il hésita. Je vis dans ses yeux que quelque chose le retenait. J'avais trop tergiversé, et là, il hésitait à m'accorder sa confiance. Il secoua la tête de gauche à droite.

— Non, Morgane. Ça n'arrivera pas...

Je sentis mon cœur se serrer.

Il me prit par la main et nous marchâmes en silence jusqu'à l'hôtel. J'essayai de comprendre ce que je ressentais, ce que je voulais, mais on aurait dit que ma tête et mon cœur étaient hors service. Je n'arrivais plus à penser clairement, et je ne ressentais plus rien.

Mais j'éprouvais toujours cette irrépressible envie que James me prenne dans ses bras.

J'entrai la première dans la chambre et James referma derrière nous, tandis que j'allais tirer les rideaux. Quand je me retournai, il me prit dans ses bras.

Il me regarda silencieusement, comme s'il cherchait ses mots, comme s'il avait quelque chose à me dire.

«Ça n'arrivera pas», m'avait-il dit dans le parc...

Heureusement, il avait menti.

Il posa sa bouche sur la mienne et nos langues se mêlèrent.

Nos souffles et nos cœurs fusionnèrent.

Ce baiser langoureux n'avait rien de comparable à notre premier baiser devant la caméra : il était brûlant, plein d'ardeur, rempli de tout ce désir accumulé depuis trois semaines...

Soudain, j'eus une pensée qui immobilisa mes lèvres.

— Et Sofia ? demandai-je.

— C'est juste une amie. Juan ne permettrait jamais que je touche à sa sœur ! précisa-t-il en souriant.

Puis je me rappelai qu'il avait une copine, un mannequin tchèque.

— Et ta copine ?...

— C'est fini.

C'était bon, je n'avais pas besoin d'en savoir plus. Je reposai mes lèvres sur les siennes et nous nous embrassâmes passionnément. Ses mains glissèrent sur mes fesses tandis que je caressais son large dos.

James me poussa jusque sur le lit, où il s'étendit sur moi. Puis, il s'arrêta un instant de m'embrasser.

— Toi et moi, on est faits pour être ensemble, Morgane...

Je ne lui répondis pas par des paroles, mais par mon corps, que je pressai contre le sien. Mon désir s'intensifia au fur et à mesure que nous nous déshabillions. Une fois nos deux corps nus, fusionnés l'un à l'autre tels des morceaux de puzzle s'imbriquant parfaitement, je murmurai à son oreille :

— Aime-moi...

Il plongea son regard dans le mien.

— Si tu me laisses faire.

Nous demeurâmes immobiles un moment, les yeux dans les yeux.

Je sentis soudain mon cœur reprendre vie, comme s'il se remettait à battre après avoir reçu une injection d'amour.

Et je me laissai aller, frémissant de plaisir, m'abandonnant totalement à mon James Dean à moi, juste à moi...

Le lendemain, je me réveillai alors que Maëva et Juan entraient dans la chambre. Heureusement, nous nous étions rhabillés avant de nous endormir. Maëva nous raconta qu'elle avait dansé toute la nuit, puis qu'elle avait dormi chez Juan, qui habitait près du centre-ville.

Nous passâmes de nouveau la journée à la plage.

James ne se gêna pas pour m'exprimer son amour, m'enlaçant et m'embrassant dès qu'il en avait l'occasion. J'aurais dû être aux anges, pourtant, quelque chose m'empêchait d'être totalement heureuse. Et je ne comprenais pas ce que c'était.

Étais-je incapable d'apprécier les bonnes choses de la vie ?

J'avais trouvé l'amour, que me fallait-il de plus ?

Mais avais-je réellement trouvé l'amour, ou n'était-ce qu'un leurre, un mirage ?

Un autre bonheur éphémère ?

21

Route Tijuana – Los Angeles, 17 septembre

Pendant cette semaine à Tijuana, j'eus le temps
de voir derrière les apparences et de réellement apprécier cette ville, qui n'était pas que «téquila, sexe et
marijuana», heureusement. Juan nous avait emmenés dans sa famille, présentés à sa grand-mère, une
vieille Mexicaine de quatre-vingt-cinq ans qui nous
avait raconté toutes sortes d'histoires.

Nous avions découvert la culture mexicaine et
perdu plusieurs de nos préjugés. Et nous nous étions
fait un ami, Juan, à qui nous laissâmes nos adresses
courriel pour garder contact.

Le jour de la grande première de notre film,
nous quittâmes Tijuana à l'aube, en direction de Los
Angeles.

Nous arrivâmes dans la Cité des anges vers neuf
heures du matin. Le ciel était bleu, le soleil nous chauffait
la peau, et nous étions tous les trois de bonne humeur.

La première du film était prévue à vingt et une heures, alors nous décidâmes d'aller visiter la ville, James nous servant de guide encore une fois.

Nous parcourûmes Sunset Boulevard d'est en ouest en partant de Down Town. Nous traversâmes Los Feliz, le cœur historique et hispanique de la ville, le quartier asiatique, Thaï Town, puis Little Armenia. Nous gagnâmes ensuite Hollywood. Et tout cela sans poser les pieds sur le sol. Notre décapotable était un moyen de transport et de visite génial, surtout dans cette ville gigantesque, s'étendant sur plus de mille kilomètres carrés.

Je fis mes premiers pas à Los Angeles dans le quartier du cinéma, où nous garâmes Édith, qui faisait piètre figure à côté de toutes ces Porsche et ces Lamborghini.

Nous dégustâmes un délicieux cappuccino glacé en nous promenant sur le célèbre Walk of Fame, où tous les artistes rêvent d'avoir un jour leur nom.

Charlie Chaplin, Brad Pitt, Madonna... Ils y avaient tous leur nom. Deux mille étoiles. Deux mille personnalités qui avaient marqué l'histoire de la culture populaire, mais qui n'iraient pas plus loin dans les étoiles lorsque leur vie ici-bas serait terminée...

— Alors, James, la tienne, c'est pour quand ? lui demanda Maëva.

— Je ne sais pas, je n'ai jamais rêvé à tout ça. Quand on sait que plusieurs de ces vedettes ont fini leur vie dépressives, droguées, alcooliques ou, pire, assassinées, ça fait réfléchir sur le *star system*.

— Moi, je rêve d'une vie de star, affirma Maëva.

— J'essaierai de t'obtenir une audition dans mon prochain film, lui promit James.

Les yeux de mon amie s'illuminèrent. Elle s'imaginait déjà vedette de cinéma. Moi, j'avais bien aimé mon expérience d'actrice, mais j'avais plutôt envie de tenter ma chance derrière la caméra.

Je m'imaginais bien partant en voyage autour du monde avec une caméra pour filmer la beauté de la Terre... et sa laideur aussi.

Car c'est grâce à la laideur que l'on apprécie la beauté.

C'est par la solitude et la tristesse que l'on apprécie l'amour et le bonheur.

J'avais connu la solitude et la tristesse... Avais-je droit à l'amour maintenant?

Après avoir « marché » sur les grandes vedettes de notre siècle, nous empruntâmes Gower Street, puis Beachwood Drive. Depuis cet endroit de la ville, je pus admirer le Hollywood Sign, ancien panneau publicitaire pour un projet immobilier qui était devenu l'emblème de la ville.

Après nous être arrêtés pour prendre des photos devant l'enseigne mythique, nous sillonnâmes les quartiers luxueux de Beverly Hills et Bel Air, pour finir au bord de l'océan, à Pacific Palisades, un charmant village situé entre Santa Monica et Malibu.

Nous roulâmes lentement dans ses allées bordées d'une végétation luxuriante, admirant ses maisons en bois de style néo-victorien. Un vrai petit paradis.

De ces falaises qui surplombaient l'océan, nous descendîmes sur la plage pour goûter l'air marin, enveloppés de nuages de brume. Le soleil commençait à se coucher.

James me prit par la main et nous courûmes sur la plage jusqu'à l'océan, participant dans cet élan typique à notre propre film d'amour.

J'avais vécu quelques scènes de thriller à New York, de film d'horreur au Texas, de western en Arizona et de drame érotique à Tijuana...

Avais-je maintenant droit à la comédie romantique ?

James m'enlaça et je me blottis dans ses bras. Nous demeurâmes ainsi quelques instants à regarder le soleil se coucher sur l'océan, offrant au ciel ses plus belles couleurs.

Puis nous allâmes rejoindre Maëva, qui observait l'océan en solitaire, et prîmes le chemin du retour vers L.A.

— À quel hôtel allons-nous déjà ? demanda Maëva.

— On ne va pas à l'hôtel, j'ai appelé Henri pour qu'il annule votre réservation.

— Pourquoi ? demandai-je.

— Parce que vous serez bien mieux chez moi.

Nous nous rendîmes à Beverly Hills où James nous fit visiter sa somptueuse demeure, l'une de ces maisons de star à dix millions de dollars. Étrangement, ce n'est qu'en constatant le luxe dans lequel il vivait que je pris conscience de sa richesse. Pour moi, il n'avait été jusque-là qu'un garçon se baladant avec nous à travers le pays, pas une vedette multimillionnaire !

— Vous avez quelque chose de chic à porter pour ce soir ? s'enquit James alors que nous passions au salon.

Maëva et moi nous regardâmes. Catastrophe ! Nous n'avions pas pensé à nous trouver des robes !

— Vite, il faut aller en acheter ! s'exclama Maëva.

— Pas de panique, mesdames, j'ai tout ce qu'il vous faut, annonça James.

Et il sortit d'une grande boîte deux robes de soirée, une blanche et une rouge.

— James !... Mais comment ?...

— Je n'ai eu qu'un petit coup de fil à passer...

Nous le remerciâmes en lui donnant chacune un baiser sur la joue.

Maëva porta la blanche et moi, la rouge qui, avec un peu de rouge à lèvres et de mascara, me donna un petit look à la Marilyn Monroe. Encore une fois, je me serais crue dans un conte de fées. Mais tout ceci était très réel : la première de mon film, mon *boyfriend* américain...

Comme j'avais bien fait de quitter Paris !

Une demi-heure avant le début du film, nous arrivâmes à l'Egyptian Theater, une salle qui avait vu se dérouler des milliers de tapis rouges depuis son ouverture en 1922.

Et voilà, un tapis rouge de plus.

Mais ce n'était pas n'importe quel tapis rouge, c'était le tapis rouge sur lequel j'allais déambuler, moi, Morgane la star américaine !

Lorsque nous sortîmes de la limousine, James me prit par la main, comme pour me guider à travers cette jungle de photographes et de journalistes. Il s'arrêta devant quelques reporters pour répondre brièvement à une ou deux questions, et je me contentai de sourire tandis que Maëva prenait quelques poses glamours devant la foule enthousiaste.

À l'entrée du cinéma, nous croisâmes Henri.

— Les enfants! s'exclama le réalisateur en nous apercevant.

Il marcha jusqu'à nous d'un pas rapide pour nous prendre dans ses bras devant les flashs des journalistes.

Nous fîmes quelques sourires pour les caméras, puis nous entrâmes dans la salle déjà pleine à craquer. Les meilleurs sièges nous étaient réservés. James me prit la main tandis que le rideau se levait.

J'eus alors un pincement au cœur, prenant conscience que dans quelques minutes je me verrais sur grand écran...

Serais-je à la hauteur de tout ce... cirque médiatique?

Hollywood: symbole de cette industrie du rêve chargée de nous faire oublier nos soucis le temps d'un long métrage.
Hollywood: marchand d'illusions...
Mais ô combien de bonheur ressenti en regardant ces classiques du cinéma dans lesquels la vie est remplie de chansons et de joie.

Je veux vivre ma vie comme un grand film, comme une chanson d'amour...

Je veux poursuivre mes rêves, défier le temps, atteindre le bonheur...

Mais où est mon bonheur?

Que se cache-t-il dans les méandres de mon cœur?

Serais-je mon propre marchand d'illusions?

22

Los Angeles, Californie, 17 septembre
Bravo! Hourra!

À la fin du film, on eut droit à une ovation. Je me levai pour saluer l'auditoire et renversai le reste de mon pop-corn.

C'était un triomphe. Je savais que ce n'était pas ma performance qu'ils applaudissaient, seulement celle de James, mais je me pris la grosse tête, tout de même. Et mon cœur s'enflamma.

Je tournai mon regard vers James et ressentis un élan d'amour. Il était si beau, si talentueux, et toute l'Amérique l'acclamait... Bon, d'accord, peut-être pas *toute* l'Amérique, mais tout Hollywood!

Nous quittâmes le cinéma sous les feux des projecteurs et les flashs des reporters. Je marchais sur un tapis de nuages moelleux, dans un rêve que je voulais sans fin...

Nous nous rendîmes à la villa d'Henri, qui avait décidé d'organiser l'*after-party* dans la cour, un somptueux jardin avec une immense piscine. Tout le gratin d'Hollywood s'y retrouva.

Après avoir pris une coupe de champagne, Maëva et moi filâmes vers la salle d'eau, alors que James serrait toutes les mains.

— Tu es une star, Morgane! s'exclama Maëva quand nous fûmes seules.

— Ouais! fis-je en battant des cils, jouant à la vedette de cinéma.

Car c'était ainsi que je me sentais : comme une petite fille déguisée pour jouer la comédie. Tout cela, ce n'était pas mon monde. Et je savais très bien que c'était éphémère.

De retour dans la cour, je cherchai James des yeux. Quand je l'eus repéré, le sourire qui était sur mon visage depuis des heures disparut : une grande blonde était pendue à son bras.

— Qui c'est, cette fille? demandai-je en les pointant à Maëva.

— C'est sûrement juste une amie.

Et là... horreur!

J'observai la grande blonde qui posait ses lèvres sur celles de *mon* copain avec insistance. Non, ils n'étaient visiblement pas que des amis. Je voulais marcher jusqu'à eux pour éclaircir la situation, mais j'étais incapable de bouger.

C'est James qui me remarqua et marcha vers moi.

— Morgane... il faut que l'on parle, affirma-t-il une fois qu'il fut arrivé à ma hauteur.

Maëva comprit le message et s'éloigna.

— Qui c'est?... trouvai-je le courage de demander.

James ne répondit pas tout de suite, cherchant la meilleure façon de m'exposer la situation.

— Qui c'est? répétai-je en haussant le ton.

— Ma copine, laissa-t-il tomber en baissant les yeux.

J'eus envie de crier, mais je me retins. Je ne tenais pas à faire une scène devant des journalistes qui auraient été trop heureux de mettre cette sordide histoire à la une.

« La vedette de l'heure trompe sa copine avec sa covedette française! »

Mais oui... Parce que c'était elle, cette grande blonde, qui avait été trompée. Moi, j'étais la vilaine qui avait couché avec son copain.

— Mais je croyais que c'était fini entre vous deux! dis-je après avoir pris quelques grandes respirations et avalé d'un trait ma coupe de champagne.

— Ce l'est... mais elle ne le sait pas encore.

— James... Tu lui as parlé de nous?

— Non, pas encore...

— Mais tu as l'intention de le faire?

— Oui, bien sûr.

— Ou est-ce que toi et moi, ce n'était que pour agrémenter ton voyage?!?

— Non, Morgane..., protesta-t-il en me regardant dans les yeux. Toi et moi, c'est pour de vrai. C'est ma relation avec cette fille qui est une farce.

Il avait l'air si sincère que je le crus.

— Les médias aiment voir des stars sortir ensemble, des mannequins avec des acteurs...

— Des chanteuses avec des joueurs de tennis...

— Ça fait vendre des magazines !

— Alors, tu vas lui parler maintenant ?

— Je vais lui parler, mais donne-moi un peu de temps.

— James, qui est-ce ? demanda la grande blonde, qui venait de se joindre à nous.

— Euh... Natasha, voici Morgane. Morgane, Natasha.

Nous nous saluâmes d'un signe de tête.

— Morgane a joué avec moi dans le film. Natasha est mannequin à...

Maëva me sauva de cette discussion qui s'annonçait fort pénible en me tirant par le bras.

— Je dois te parler, Morgane. Excusez-nous.

Je lui expliquai la situation alors que nous marchions le long de la piscine en forme de dauphin.

— Tout va bien se passer, m'assura-t-elle quand j'eus fini de parler. Il va la larguer bientôt et tu vas pouvoir aller te pavaner à son bras.

J'espérais qu'elle disait vrai.

Mon enthousiasme diminua au fur et à mesure que la soirée s'étirait...

Il était minuit passé et la poupée de cire était toujours accrochée au bras de *mon* James.

Alors qu'elle s'était éloignée de lui quelques minutes – ô miracle ! – je l'apostrophai.

— Tu ne le lui as pas encore dit, à ce que je vois.

— Elle a perdu un contrat très important à Milan. Elle essaie de remonter la pente, et je ne veux pas la perturber avec ça. J'ai peur de sa réaction.

— Si tu ne veux pas la quitter, tu n'as qu'à le dire !

J'avais joué la fille cool toute la soirée, mais là, j'en avais ras le bol.

— Non, ce n'est pas du tout ça. Je ne peux simplement pas la quitter maintenant...

— Alors, tu vas coucher avec elle ce soir !

— Non, mais je vais la ramener chez elle.

— Bonne nuit, James, lançai-je.

Je me retournai sans lui laisser l'occasion de placer un mot de plus. Je saisis la main de Maëva et la tirai dans la maison, loin de James et de son top-modèle. Il n'était pas très tard, mais je ne voulais pas retourner dans la cour. Maëva trouva Henri qui nous offrit une chambre de sa villa, où nous allâmes nous réfugier.

Les larmes coulèrent le long de mes joues alors que j'enlevais ma robe. Maëva tentait tant bien que mal de me remonter le moral, mais je n'avais qu'une envie : pleurer toutes les larmes de mon corps.

Je m'étendis sur le lit en sous-vêtements et Maëva se coucha à mes côtés, me prenant dans ses bras. Je pleurai sur son épaule un long moment, puis je me redressai. Je venais de prendre conscience d'une terrible vérité...

— Maëva, tu ne vas pas me croire...

— Quoi ?

— Je pense que James va peut-être rester avec cette fille...

— Mais non, c'est toi qu'il aime, me coupa mon amie.

— Je crois qu'il va peut-être rester avec elle... et ça ne me fait rien !

— Quoi ?

— Je te le jure : cela ne me fait pas réellement de peine.

Elle ne comprenait rien. Je venais de pleurer telle une Madeleine pour ce mec, et je lui disais que, finalement, il ne signifiait rien pour moi.

— Tu ne l'aimes pas ? fit-elle, essayant de comprendre.

— Non, je ne crois pas...

Maëva me regarda dans les yeux et comprit ce que je ressentais. Elle lut sur mon visage à qui je pensais.

J'avais le cœur plein d'amour, mais pas pour James...

— Zirka..., articula-t-elle.

— Oui, Zirka...

— Appelle-le ! s'exclama-t-elle en me lançant son portable.

— Mais tu es folle ! Après tout ce temps, il va me raccrocher la ligne au nez !

— Oh, je n'en suis pas si sûre. Allez, je fais le numéro pour toi.

La Tsigane était si heureuse de constater que j'aimais toujours son cousin qu'elle reprit son téléphone et commença à composer son numéro. Quand elle eut terminé, elle me le passa.

Tout allait trop vite. J'entendis Zirka répondre et mon cœur se mit à battre la chamade. J'essayai de formuler une phrase, mais je n'arrivais pas à rassembler mes pensées.

Je raccrochai.

— Morgane, qu'est-ce que tu fais ?!

— Je ne sais pas quoi lui dire, Maëva ! Je ne sais simplement pas quoi lui dire...

— Mais dis-lui que tu l'aimes, grande nouille !

— Demain. Je le rappellerai demain quand j'aurai les idées claires. J'ai besoin de dormir.

Maëva n'insista pas. La soirée avait été très chargée en émotion, et elle comprit qu'une bonne nuit de repos était tout ce dont j'avais besoin.

— Je ne suis pas une grande nouille..., protestai-je d'une petite voix alors que le sommeil me gagnait.

Maëva pouffa de rire.

— Non... juste une *petite* nouille ! ajouta-t-elle en riant.

Et je mêlai mon rire au sien, heureuse d'avoir une aussi bonne amie à mes côtés.

« Notre histoire n'est pas terminée. Elle ne fait que commencer... », m'as-tu dit le jour de mon départ.
Zirka... me pardonneras-tu d'être partie, d'avoir craché sur notre amour comme s'il se fût agi d'un vulgaire déchet ?
Me pardonneras-tu d'avoir été égoïste, sans cœur, lâche et faible ?

J'ai voulu m'éloigner pour ne pas souffrir, mais j'ai souffert de ton absence...
Reviens, mon amour...

23

Los Angeles, Californie, 18 septembre

Je fus réveillée par la voix de James. Je me levai, revêtis ma robe rouge – toutefois, disparu, ce matin-là, le *glamour* à la Marilyn Monroe – et sortis de la chambre.

James était dans le salon en compagnie d'Henri, qui lui avait indiqué que nous avions passé la nuit chez lui.

— Je vous laisse, dit Henri lorsque j'entrai dans le salon déjà illuminé de la douce lumière du matin.

James avait l'air de n'avoir pas dormi de la nuit, mais je ne lui fis pas de commentaire.

— Je vous ai apporté vos affaires, dit-il.

— Merci.

— Que fais-tu aujourd'hui ?

— Nous partons pour Vegas. Qu'est-ce que tu veux, James ?

— Ne pars pas...

Nous demeurâmes un moment silencieux. Ses paroles m'allaient droit au cœur, mais je savais que mon amour pour lui n'était pas vrai, pas réel. J'avais voulu oublier Zirka et je m'étais menti à moi-même en me faisant croire que j'étais amoureuse de James.

— Nos chemins se séparent ici, affirmai-je doucement, comme si cela pouvait atténuer notre peine.

Car il avait beau ne pas être l'amour de ma vie, il allait beaucoup me manquer, mon James Dean à moi.

— Quoi ? Qu'est-ce que tu veux dire ? Je veux être avec toi, Morgane. Je vais parler à Natasha aujourd'hui.

— Non, James. Ce n'est pas la peine.

— Pourquoi ? demanda-t-il d'un ton désespéré.

Je vis dans ses yeux qu'il commençait à comprendre que c'était fini entre nous.

— Je me suis rendu compte que je ne t'aimais pas vraiment... pas autant que tu mérites de l'être...

— Mais si ! Je vais prendre tout ce que tu me donneras, même si ce n'est pas beaucoup.

Il prit mes mains dans les siennes et je me demandai soudain pourquoi je le repoussais ainsi. Pourquoi ne pas accepter cet amour qu'il m'offrait ?...

C'est alors que le visage de Zirka me revint en mémoire.

— J'en aime un autre..., murmurai-je, sachant que cela allait le blesser.

Il se tut et me regarda dans les yeux, comme pour vérifier que je lui disais la vérité. Et il comprit.

— La vie avec une star, ce n'est pas facile. Je t'aurais rendue malheureuse, reconnut-il, tentant de se convaincre que c'était mieux ainsi.

— Ah, James..., soupirai-je. « Vivez comme si vous deviez mourir demain », a dit Bouddha. C'est ce que nous avons fait.

— Et je ne le regrette pas.

Nous nous enlaçâmes un long moment.

— De New York à Los Angeles, tous mes souvenirs de ce voyage seront remplis de toi, déclarai-je en me séparant de lui.

— Et moi, chaque fois que j'entendrai cet accent français si sexy, je penserai à toi.

Il posa un doux baiser sur mes lèvres et partit sans se retourner.

Une larme coula sur ma joue. Je l'essuyais quand Maëva entra au salon.

— C'est fini, James et moi, lui appris-je.

— Je sais, j'ai tout entendu, avoua-t-elle avec l'air d'une gamine se repentant d'un mauvais coup.

Elle me prit dans ses bras, puis, après un moment, ajouta :

— Alors, tu appelles Zirka ?

J'hésitai un moment.

— Non, j'ai encore besoin de temps. Et maintenant, c'est le moment d'aller au Grand Canyon. On part pour Las Vegas !

Nous quittâmes Los Angeles en matinée, heureuses d'être de nouveau seules toutes les deux. Plus de mecs pour perturber notre sérénité.

Nous roulâmes durant quatre heures avant d'atteindre Las Vegas, ville mythique qui nous apparut au milieu du désert tel un mirage gigantesque. Cette ville avait été fondée sur les terres en friche du désert de Mojave dans le Nevada, sous forme d'oasis avec jeux d'argent et spectacles, pour amuser les Californiens après la guerre.

Nous entrâmes dans la ville en début d'après-midi. La chaleur y était tout simplement insupportable. Je crus que j'allais m'évanouir.

Nous prîmes une chambre dans l'un des hôtels qui s'y entassaient par centaines et décidâmes qu'il faisait trop chaud pour aller nous promener. Nous nous étendîmes au bord de la piscine et fîmes bronzer nos corps de déesses (!) en attendant le coucher du soleil.

Quand la nuit fut tombée, nous partîmes à la découverte de Sin City, la ville du péché, vêtues des jolies robes achetées par James. Nous parcourûmes un long moment le boulevard principal, le Strip, qui nous en mit plein la vue.

Nous croisâmes une gigantesque pyramide en verre noir de trente étages. Une réplique du Sphinx se dressait devant l'entrée. C'était l'hôtel Luxor. Nous pénétrâmes au cœur de la pyramide dont l'intérieur était couvert de hiéroglyphes et parsemé de statues de Ramsès.

En face étaient érigés le Brooklyn Bridge et la statue de la Liberté. Au New York, nous arpentâmes les rues de Little Italy, où nous nous arrêtâmes pour déguster un cappuccino.

Nous quittâmes ensuite l'Amérique pour l'Europe. Au Caesar's, une copie de la ville de Rome, nous découvrîmes une réplique de la célèbre fontaine de Trevi.

Un peu plus loin, le Paris arborait son Arc de triomphe et sa tour Eiffel, deux fois plus petite que l'originale. Un touriste qui l'observait à nos côtés nous indiqua que si elle était de taille réduite, ce n'était pas par pingrerie, mais à cause de la proximité de l'aéroport. Nous déambulâmes le long des rues évoquant les quartiers des Halles et du Marais, superbement reproduits.

Nous nous baladâmes ensuite sur la place Saint-Marc de Venise. Au somptueux Venetian, à toute heure du jour et de la nuit, grâce à une lumière diffuse et à une toile tendue en guise de ciel, il était sept heures du soir. Les chants des gondoliers se mêlaient aux rires des visiteurs se baladant sur le Grand Canal.

Nous passâmes d'hôtel en hôtel comme à Florence de musée en musée. Luxor, New York, Rome, Paris, Venise... En quelques heures, nous avions fait le tour du monde.

Nous nous arrêtâmes un moment devant le volcan du Mirage, qui fit éruption pour nous et, prêtes à devenir millionnaires, nous entrâmes au casino.

À l'intérieur, des milliers de touristes jouaient avec frénésie dans un brouhaha indescriptible.

J'insérai avec enthousiasme quelques pièces dans les bandits manchots, qui firent tourner leurs roulettes numériques devant mes yeux... et me volèrent tout mon argent.

Après une demi-heure de ce plaisir futile, je n'eus qu'une envie : quitter à toute vitesse ce lieu de perdition. Sans blague, je ne compris pas du tout ce qui pouvait pousser les gens à mettre tout leur argent dans ces machines à sous sans âme.

Maëva étant de mon avis, nous laissâmes tomber les jeux de hasard et réussîmes à nous procurer des billets pour un spectacle du Cirque du Soleil, où le burlesque se mariait au style cabaret. Durant deux heures, je me laissai entraîner dans une autre réalité, une réalité séduisante, électrisante, remplie de sensations fortes, qui me donna envie de plaisirs libertins...

Mais plaisirs libertins rimaient avec chagrin.

Mes dernières aventures étaient loin de me donner espoir en l'amour...

Devais-je prendre le voile ?...

À Las Vegas, microcosme de l'Amérique, il y a les gagnants et les perdants.
Les gagnants, ce sont ceux qui en repartent... les poches vides ou pleines.
Les perdants, ce sont ceux qui y restent... les exclus du rêve américain, les vieilles femmes de ménage qui travaillent du soir au matin, les jolies filles dont le regard,

au bras des riches visiteurs, hurle de
désespoir...
Tous ces désenchantés pour qui la ville du
péché est une désillusion totale.

24

Las Vegas, Nevada, 19 septembre

Alors que le soleil pointait ses premiers rayons sur la ville qui dormait encore, nous nous éveillâmes. Coiffées de chapeaux, enduites de crème solaire et armées de bouteilles d'eau, nous partîmes pour le Grand Canyon.

Sur la route linéaire qui traversait des plaines désertiques, j'eus l'impression d'être en plein western, comme si John Wayne allait apparaître sur un cheval à l'horizon.

Nous nous arrêtâmes un moment à Hoover Dam, l'un des plus grands barrages des États-Unis (le béton qui le constitue, paraît-il, aurait pu servir à construire une autoroute jusqu'à New York), fierté des habitants du coin, mais atrocité du paysage !

Consolation pour les voyageurs en quête de beauté : les eaux du lac Meade, créé artificiellement grâce au barrage, d'un bleu intense contrastant avec les couleurs arides des montagnes environnantes.

Nous reprîmes la route, magnifique : immenses plateaux, dunes de roche et de sable tachetées de buissons verts...

Puis, le paysage qui était simplement désertique devint carrément lunaire. La chaleur était insupportable. Je rabattis le toit de notre décapotable et mis la climatisation en marche.

En début d'après-midi, nous arrivâmes à Desert View, l'un des observatoires du Grand Canyon. Dans le silence réservé aux moments sacrés, je m'approchai du bord et là... Impression indescriptible.

La splendeur des splendeurs.

Je ne savais pas que la terre recelait de tels joyaux...

Sur une vingtaine de kilomètres de large et trois cents kilomètres de long, le sol se dérobait de façon abrupte. À l'intérieur même du canyon, de gigantesques crevasses serpentaient autour d'amas rocheux dont les parois révélaient de nombreuses couches sédimentaires, toutes d'une teinte distincte d'orangé.

J'en eus le souffle coupé. Je m'y attendais, mais j'en fus quand même bouleversée.

Ma seule envie fut d'être un oiseau et de m'élancer du haut du rocher sur lequel je me tenais pour planer au-dessus de cette merveille de la nature.

Je ressourçai mon âme à cette beauté naturelle, qui me rappela que la vie était belle, magique et sacrée...

Après une dizaine de minutes, Maëva brisa le silence.

— On descend ? suggéra-t-elle, les yeux brillants.

— À pied ?

— Non, à dos d'âne, répondit-elle en pointant des cavaliers sur le chemin de crête qui descendait jusqu'au fond du canyon.

Un instant plus tard, nous étions en selle et prêtes à partir à l'aventure.

— Vous avez de la chance, on a eu deux annulations de dernière minute, nous apprit le guide. Habituellement, il faut réserver six mois d'avance.

Maëva et moi nous regardâmes et sourîmes. Oui, nous avions de la chance... La vie nous souriait.

Et moi, j'avais presque déjà oublié mon aventure avec James. Ou, du moins, je l'avais reléguée dans un tiroir de ma mémoire, avec toutes ces expériences, bonnes ou mauvaises, qui faisaient de moi celle que je suis.

Je ne voulais penser à rien et profiter du moment présent. Nous y étions enfin, au sommet de ce grand canyon.

Notre but ultime, notre destination finale.

Nous avions quitté l'Europe sur un coup de tête à la poursuite d'un rêve, et nous y étions, au cœur de ce rêve.

Cela me donnait une agréable sensation d'accomplissement. Comme si je savais maintenant que je pouvais mener à terme tout ce que j'entreprenais. La vie était un grand film, et il n'en tenait qu'à nous de choisir les scènes dans lesquelles nous voulions jouer.

Un sourire éclaira de nouveau mon visage alors que mon âne s'avançait sur le chemin de crête. Je soupirai de bonheur et me laissai porter vers le fond du canyon au son des sabots de mon nouvel ami.

Durant la descente, je me rendis compte que je n'étais pas vraiment dans un canyon, mais plutôt dans un labyrinthe de canyons, de fissures et de gorges rocheuses érodées par le temps...

Après une vingtaine de kilomètres, nous arrivâmes à Phantom Ranch, le ranch fantôme, dont le nom me fit frissonner.

Des fantômes viendraient-ils nous visiter durant la nuit ?

La chambre que l'on nous désigna se trouvait dans une sorte de petit chalet en bois rond et en pierres des champs, un endroit rustique avec lits superposés, qui nous plut bien davantage que toutes ces chambres d'hôtel dans lesquelles nous avions dormi.

Après avoir pris une douche – on ne peut plus bienvenue –, nous allâmes nous promener jusqu'aux eaux brillantes de la rivière Colorado, qui coulait doucement entre les rochers majestueux.

Je m'assis au bord de la rivière, respirant à pleins poumons, et je jouis du contact avec la nature. Après toutes ces routes de béton, ces bruits de voitures et ces lumières agressantes, c'était un bonheur que de pouvoir enfin se détendre au cœur d'une nature préservée.

Le soleil descendait sur le canyon et l'obscurité s'approchait de nous à petits pas. Je me sentais terriblement bien dans les bras de la Terre Mère.

Nous délaissâmes la rivière et suivîmes un petit sentier qui longeait un immense rocher. Soudain, nous aperçûmes une lueur au loin. Nous poursuivîmes notre randonnée, attirées par cette lumière.

Nous arrivâmes devant un abri-sous-roche dans lequel brûlait un magnifique feu de camp. Autour étaient assises deux filles d'à peu près notre âge. Elles nous firent signe de nous asseoir avec elles.

— Je m'appelle Amanda. Vous faites de la magie ? nous demanda l'une d'elles à brûle-pourpoint.

Maëva et moi échangeâmes un regard en souriant. La vie nous réservait-elle encore une belle surprise ?...

— Je suis Morgane la fée, déclarai-je fièrement. Et voici Maëva la magicienne.

— Moi, c'est Layla, se présenta l'autre fille. Si vous êtes des magiciennes, alors, nous devrions unir nos forces.

— Si nous nous concentrons toutes les quatre sur ce feu en silence durant un long moment, puis que nous énonçons chacune un vœu à voix haute, ce dernier se réalisera.

— Génial, dit Maëva. On essaie.

C'est alors que me revinrent en mémoire des paroles que ma mère m'avait dites lorsque j'étais petite : « Si tu descends tout au fond du canyon, jusqu'à la rivière, avec une offrande pour la Terre, et que tu murmures un vœu, la Mère l'entendra. Et si cela la touche, elle le réalisera. »

Une offrande..., songeai-je. Je n'avais pas d'offrande...

— Attendez, dis-je.

J'ouvris mon sac et en sortis une petite pierre, que ma mère m'avait rapportée d'Afrique et que je gardais toujours avec moi depuis. Je la posai délicatement près du feu.

Nos regards se perdirent dans les flammes rougeoyantes tandis qu'une légère brise nous caressait le visage. Nous demeurâmes ainsi un long moment. Le temps semblait s'être arrêté.

Puis, Layla brisa le silence.

— Je souhaite être admise à l'Université de Harvard, déclama-t-elle solennellement.

— Je désire me réconcilier avec mon père, enchaîna Amanda.

— Je souhaite ne plus jamais souffrir, lança Maëva.

C'était mon tour. Plusieurs vœux me venaient à l'esprit, mais je sentais que je n'avais pas encore pensé à mon plus grand désir.

Il était là, tout près, mais je n'arrivais pas à le saisir...

Puis, la lumière fut.

— Je désire revoir Zirka, murmurai-je.

À ces mots, je ressentis un long frisson me parcourir l'échine, comme si un fantôme m'avait traversée...

Zirka... comme tu me manques...

Je n'aurais jamais dû partir loin de toi.

Durant tout ce voyage, j'ai tenté de t'oublier, mais c'était en vain. Tu es gravé dans mon cœur.

Mon dompteur de fauves...

25

Grand Canyon, Arizona, 20 septembre

Au petit matin, nous remontâmes le canyon et repartîmes vers l'ouest avec un pincement au cœur, tristes de laisser derrière nous un endroit aussi magique.

Avant de partir, je pris le temps d'écrire une carte postale à mon père.

Grand Canyon, États-Unis, 20 septembre
Papa...
C'est une fois loin de toi que je me rends compte que tu es précieux pour moi...
Maman a écrit dans son testament qu'elle voulait que je vive tous mes rêves, alors voilà, je viens d'en réaliser un : je suis descendue au fond du Grand Canyon.
Je ne sais pas quand je serai de retour en France, mais je t'appellerai.
J'espère que la vie est belle pour toi...

Ta fille qui t'aime,
Morgane

À Las Vegas, il faisait plus de quarante degrés et nous ne pûmes imaginer faire autre chose que patauger dans la piscine de l'hôtel et nous faire bronzer.

— Allons nous habiller. J'ai une surprise pour toi ! m'annonça soudain Maëva en début de soirée.

— Une surprise ? Qu'est-ce que c'est ?

— Je t'emmène voir un spectacle...

Elle ne voulut pas m'en dire davantage.

Nous quittâmes l'hôtel à bord d'Édith, toutes trois de rouge vêtues !

Le soleil se couchait sur Sin City, qui commençait à reprendre vie. J'étais fébrile à la pensée de cette soirée qui s'annonçait magique.

Alors que nous descendions le Strip, les yeux inondés de lumière multicolore, je pris conscience que nous en étions à la fin de notre voyage. Nous avions décidé d'aller jusqu'au Grand Canyon, et nous y étions. Qu'allions-nous faire maintenant ?

Je songeai à poser la question à mon amie, mais Maëva me demanda de garer la voiture. Une fois sur le trottoir, je remarquai que nous étions devant une petite salle de spectacle, entre deux grands casinos.

— C'est là que tu m'emmènes ?

— Oui, ma belle !

— Mais c'est... petit. Je croyais que nous allions assister à l'un de ces spectacles à grand déploiement, dis-je, dépitée.

— Tu vas voir, tu ne seras pas déçue.

Nous entrâmes et prîmes place devant la petite scène. C'était un charmant petit club, qui présentait des spectacles amateurs devant une salle pleine à craquer.

L'animateur de la soirée présenta le premier numéro : un magicien européen très prometteur.

Le rideau s'ouvrit sur un jeune homme... que je reconnus !

— Zirka ! Mais qu'est-ce qu'il fait ici ? ! ?

C'était bien lui. Je ne rêvais pas. Il était là, devant mes yeux, en chair et en os. Mon Zirka...

Puis, je repensai à mon vœu devant le feu magique, au fond du canyon : il s'était réalisé !

Je ne pus retenir un sourire de bonheur.

— Je l'ai appelé de Memphis pour lui dire que nous serions à Las Vegas cette semaine, m'expliqua Maëva. Il est venu sans hésiter. Puis il m'a appelée et m'a dit qu'on l'avait engagé pour présenter son spectacle quelques soirs dans ce club. Et voilà...

— Et si j'étais demeurée avec James ?...

— Je savais que ça ne durerait pas, votre histoire. C'est Zirka, ton mec ! rétorqua-t-elle, fière de son coup.

J'avais envie de lui dire qu'elle n'aurait pas dû se mêler de mes affaires, mais j'étais bien trop heureuse qu'il soit là.

— Merci, Maëva, murmurai-je.

Et le spectacle commença...

À la fin de son numéro de magie, la salle était en délire. Il salua la foule et disparut dans les coulisses.

— Va le voir, m'encouragea Maëva.

J'hésitai un moment, mais mon amie ne me laissa pas le temps de réfléchir : elle me prit par la main et m'emmena vers l'arrière-salle.

— Il savait que l'on venait ce soir ? demandai-je.

Maëva secoua la tête de gauche à droite.

Nous nous arrêtâmes devant une porte sur laquelle était peinte une grande étoile dorée.

— Il doit être là, présuma-t-elle. Frappe.

— Mais s'il me repousse ?...

— Il est venu jusqu'ici pour toi, me rappela mon amie pour me donner du courage.

J'hésitai encore. Maëva prit les devants en frappant pour moi. Trop tard, je ne pouvais plus reculer.

J'entendis des pas qui s'approchaient ; mon cœur se mit à battre la chamade.

La porte s'ouvrit et Zirka me regarda un moment en silence, totalement inexpressif. Puis, un sourire de plus en plus grand se dessina sur son visage.

— Morgane...

— Bonjour, Zirka.

Nous demeurâmes un moment les yeux dans les yeux.

— Entre, dit-il enfin.

En pénétrant dans la loge, je me retournai et vis que Maëva s'était éclipsée. Je refermai derrière moi.

— Tu as fait un beau voyage ? me demanda le Tsigane en prenant mes mains dans les siennes, fixant le plancher.

Je voulais être tout à fait honnête avec lui, qu'il n'y ait plus jamais aucun mensonge entre nous.

— J'ai rencontré quelqu'un...

Il laissa mes mains et s'éloigna de moi. Après un moment de silence qui me parut interminable, il me demanda :

— Tu es encore avec lui ?

— Non...

— Alors, je ne veux pas en entendre parler.

Je baissai la tête et sentis le rouge me monter aux joues. J'étais honteuse. Honteuse d'avoir pour un moment cessé de croire en nous. Car, j'en étais certaine maintenant, notre histoire n'était pas terminée. Mais pourrais-je de nouveau lui faire confiance ?

Zirka s'approcha lentement de moi, plongeant son regard intense dans le mien. Je sentis une bouffée de chaleur m'envahir. Il posa doucement sa main sur mon visage et s'approcha. Alors que je sentais la douceur de sa bouche sur la mienne, on frappa à la porte.

Il recula et je pus lire la déception sur son visage.

Il ouvrit pour laisser entrer un homme d'une cinquantaine d'années, qui se présenta comme le responsable d'une grande salle de spectacle d'un casino réputé.

— Votre numéro est génial. Je vous offre un contrat de six mois dans mon casino, lui proposa l'homme.

— Donnez-moi un moment, répondit Zirka.

Il me prit par la main et m'emmena dans un coin de la pièce.

— Qu'est-ce que je fais, Morgane?

— Mais tu fais ce que tu veux, Zirka.

— Ce que je veux, c'est être avec toi, déclara-t-il d'un ton décidé.

Je baissai la tête et tentai de réfléchir, mais j'étais confuse. Confuse dans mes pensées et dans mes sentiments. Je l'aimais, oui, mais comment être certaine qu'il n'allait pas m'abandonner dans quelques mois?

— Tu m'aimes? lui demandai-je.

— Je t'aime, Morgane, répondit-il en prenant mes mains dans les siennes et en me regardant dans les yeux.

Je sentis mon cœur s'élargir, puis la peur m'envahit de nouveau.

— Qu'est-ce qui me dit que tu ne vas pas... cesser de m'aimer?

Il sembla surpris par ma question.

— On ne peut jamais être certain que l'amour durera toujours, Morgane. Ce que je sais, c'est que je t'aime *maintenant*, insista-t-il.

La peur était toujours là, tapie en moi comme un monstre dans un placard, qui venait d'ouvrir la porte pour me rappeler sa présence. La peur d'être abandonnée comme cette petite fille qui avait jadis été une princesse, puis que ses parents avaient laissée tomber...

— Si je t'aime, Zirka, tu pourras exercer ton pouvoir sur moi... Tu pourrais me faire souffrir.

Il réfléchit.

— Mais si tu ne m'aimes pas, tu passeras à côté de la vie, et tu souffriras encore plus.

Je sus qu'il avait raison, mais ce monstre dans mon placard refusait de s'en aller.

— Si tu me dis que tu veux que nous partions ensemble, je refuserai ce contrat. Sinon, je vais rester à Las Vegas... et tu n'auras pas le privilège de vieillir à mes côtés !

— Je ne sais pas. Je ne peux pas te donner une réponse maintenant. Je veux y réfléchir.

Zirka retourna vers l'Américain et lui dit qu'il lui donnerait sa réponse le lendemain. L'homme lui remit une carte de visite et quitta la pièce.

Alors qu'il sortait, Maëva entra et sauta dans les bras de son cousin. Puis, elle fit ce que j'étais certaine qu'elle ferait : elle feignit un mal de tête et nous annonça qu'elle rentrait à l'hôtel.

— Mais ne vous empêchez pas de vous amuser pour moi. La nuit est jeune ! fit-elle avant de nous lancer un clin d'œil et de repartir aussi vite qu'elle était venue.

Je ne pus retenir un sourire. Quelle amie...

26

Nous quittâmes le club en silence. Une fois dans la rue, Zirka pivota vers moi. Il semblait un peu exaspéré.

— Pourquoi refuses-tu de nous accorder une chance ?

— Parce que j'ai peur ! lui avouai-je. J'ai peur... que tu me brises le cœur !

— Tu as peur..., répéta-t-il. Alors, je sais où on doit aller !

Il me prit par la main et nous marchâmes durant une dizaine de minutes. Puis, en voyant l'établissement au loin, je compris où il m'emmenait. Il s'arrêta devant Chapel of Love, la chapelle de l'amour.

— Tu plaisantes ? ! ? m'exclamai-je en tournant vivement la tête vers lui.

Et je lus dans ses yeux qu'il ne blaguait pas du tout. Il se mit à genoux et prit ma main. Des passants s'arrêtèrent pour assister à cette scène, qui n'avait vraiment rien d'original. Mais tous nous regardaient en silence, attendant les paroles typiques qui allaient sortir de la bouche de Zirka.

— Morgane, veux-tu m'épouser?

— Zirka, relève-toi! ordonnai-je d'un ton sec.

Ce n'étaient pas les mots que les spectateurs s'attendaient à m'entendre prononcer. Des soupirs de déception fusèrent de toutes parts, puis chacun reprit sa route, nous laissant un peu d'intimité.

— C'est ta dernière chance, Morgane. Si tu n'affrontes pas cette peur qui te retient, je vais partir et tu ne me reverras jamais plus.

Cette idée de ne plus jamais le revoir me saisit d'effroi. Mon cœur était rempli d'amour pour lui, et je voulais passer le reste de mes jours avec lui, mais... je ne voulais pas me marier!

— Je suis prêt à t'épouser, Morgane! Ce n'est pas une promesse en l'air, dans l'instant, c'est un engagement pour toute la vie! Si c'est ce qu'il te faut pour accepter mon amour, alors, je te l'offre.

— Je ne veux pas me marier, Zirka. Mes parents étaient mariés... et ils se sont détestés.

— Alors, ne nous marions pas! Mais aie le courage de vivre cet amour, Morgane! Je t'en supplie. Aie le courage! Aime-moi!

Il se remit à genoux et prit ma main.

— Morgane... Morgane la fée, se reprit-il avec un sourire, veux-tu m'aimer? Pour le meilleur et pour le pire, jusqu'à ce que la mort nous sépare?

Et là, dans ses yeux, je vis l'amour. Je vis tout son amour pour moi. Et je vis une promesse de jours heureux. Je devais y croire. J'avais trouvé l'amour, je devais en reconnaître le caractère sacré... et m'abandonner à lui. Sans peur.

— Oui, Zirka le dompteur de fauves, je veux t'aimer! déclarai-je haut et fort.

Il se releva et nous nous embrassâmes durant un long moment.

Une larme coula le long de ma joue alors que je décidais de faire confiance à la vie... et à l'amour.

Nous rentrâmes à l'hôtel où j'avais une chambre avec Maëva et nous prîmes une autre chambre : la suite nuptiale (bain à remous, lit en forme de cœur et bouteille de champagne!).

Zirka fit sauter le bouchon du champagne alors que j'allais le rejoindre dans la grande baignoire éclairée aux chandelles. Il me tendit une coupe et porta un toast.

— À nous deux! Et que la vie soit toujours pleine de découvertes et d'aventures!

Nous fîmes tinter le cristal de nos coupes, et ce son magique marqua le début de ma nouvelle vie.

Ma vie avec celui que j'aimais.

— Je t'aime, Zirka, murmurai-je.

Nous déposâmes nos verres sur le bord de la baignoire et mon beau Tsigane me fit l'amour dans les bulles.

27

Las Vegas, Nevada, 21 septembre

Je me réveillai dans les draps de satin d'un grand lit en forme de cœur et je soupirai de bonheur.

Moi, Morgane la fée, aux côtés de mon magicien bohémien, j'avais vaincu le monstre. J'avais refermé la porte du placard sur le monstre de mon enfance, que je ne laisserais plus jamais ressortir.

Je réveillai Zirka et nous allâmes frapper à la porte de la chambre de Maëva.

Mon amie était en train de prendre un copieux petit-déjeuner.

— Vous vous êtes réconciliés ! s'exclama-t-elle en se levant d'un bond et en nous prenant dans ses bras.

— Oui, déclarai-je, les yeux brillants.

— Je suis tellement heureuse pour vous.

— Tu ne t'es pas trop ennuyée ? lui demandai-je, me sentant un peu coupable de l'avoir abandonnée durant toute une soirée.

— Ennuyée ?!? J'ai gagné mille dollars !

Elle passa sous mon nez les billets verts.

— À la roulette ! ajouta-t-elle. Mais il est à toi, cet argent, Morgane. C'est toi qui as payé ce voyage...

— Mais non, tu peux le garder.

— Alors, on retourne jouer tout cet argent au casino ce soir ? demanda-t-elle.

— J'aurais autre chose à vous proposer, fis-je.

Je venais d'avoir cette super idée, qui serait simplement trop géniale...

— Que diriez-vous d'aller au Québec ? Mon ami Julien habite à Montréal. On pourrait aller lui rendre visite.

— Ce serait super ! s'exclama Maëva. J'ai toujours rêvé d'aller au Canada.

— Oui, excellente idée ! ajouta Zirka. Il paraît que c'est très beau en automne.

— Alors, c'est parti pour Montréal !

Je réussis à obtenir le numéro de Julien en appelant son père, et je lui téléphonai. Je ne lui avais pas parlé depuis notre séparation sur le quai de la gare de Bologne, deux mois plus tôt. Voudrait-il me revoir, avec mon nouveau copain ? J'angoissais un peu...

La sonnerie se fit entendre trois fois et il répondit.

— Bonjour, Julien. C'est moi... Morgane.

— Morgane ! Comment vas-tu ? T'es où ?

Il semblait fort heureux de mon appel ; je me détendis.

— Ça va super. Je suis à Las Vegas...

— Las Vegas ! me coupa-t-il.

— Oui, c'est une longue histoire. Mais je vais tout te raconter...

— Tu viens me voir à Montréal? demanda-t-il.

Son enthousiasme me fit chaud au cœur. Je n'avais pas perdu mon meilleur ami.

— Oui, je vais te rendre visite, mais je ne viendrai pas seule. Je suis avec mon amie Maëva... et mon petit ami Zirka.

— Amie, petit ami... Vous êtes tous les bienvenus!

Il paraissait sincère; je ne décelai pas d'amertume dans sa voix. Il semblait réellement heureux.

— Vous arrivez quand?

— Demain. Nous n'avons pas encore acheté nos billets d'avion, alors je t'appellerai pour te confirmer l'heure exacte de notre arrivée.

— Super! Alors, à demain, Morgane!

Nous avions passé les douanes et nous apprêtions à franchir les portes automatiques derrière lesquelles se trouvait Julien. J'avais extrêmement hâte de le revoir...

Lorsque les portes s'ouvrirent, je le trouvai juste devant moi, souriant. Je marchai rapidement jusqu'à lui et nous nous enlaçâmes. Quel bonheur que de le retrouver!

— Julien, voici Zirka et Maëva, fis-je quand nous desserrâmes notre étreinte.

— Bonjour, Zirka, salua Julien en le regardant droit dans les yeux.

Alors qu'ils se serraient la main, j'observai leur attitude pour tenter de déceler le moindre malaise.

Mais tout allait bien. Julien ne semblait pas le moins du monde jaloux.

Il se tourna ensuite vers Maëva, et c'est alors qu'il remarqua la foudroyante beauté de mon amie. Je remarquai le rouge qui lui montait aux joues alors qu'il lui faisait l'accolade.

Mon cher ami était-il prêt à retomber amoureux ?...

28

Montréal, Québec, 22 septembre

Il était sept heures du soir lorsque nous quittâmes l'aéroport de Montréal. Julien nous emmena chez lui, dans un petit appartement de la rue Saint-Hubert.

C'est déjà l'automne...
Je le constate alors que je délaisse la chaleur insoutenable de l'Arizona et découvre la douceur de septembre dans la belle ville de Montréal.
Les feuilles des arbres ont pris des teintes de rouge et d'orangé, qui me rappellent les canyons de l'Ouest américain.
C'est l'équinoxe, le moment de rendre grâce et de dire merci.
Je dis alors silencieusement merci à la vie...
Merci de m'avoir ramené mon Zirka.

Nous entrâmes chez Julien et il nous fit visiter son bel appartement. Il nous révéla alors qu'il cherchait des colocs...

Comme ce serait génial d'habiter tous les quatre ensemble, songeai-je.

Nous finîmes notre visite par la cuisine, où mon ami avait préparé pour nous une délicieuse fondue au fromage.

— Tu es le meilleur, Julien! déclarai-je alors que mon estomac criait famine.

Nous nous attablâmes et Julien ouvrit une bouteille de vin blanc. Il nous servit chacun une coupe et m'invita à porter un toast. Je réfléchis quelques instants. Les dernières semaines avaient été si intenses, remplies d'expériences...

— À la vie, et à ceux qui savent la rêver!

— À la vie! s'exclamèrent en chœur Julien, Zirka et Maëva.

Durant le repas, Julien et Maëva discutèrent longuement. Elle lui raconta les souvenirs de son enfance en Roumanie, et lui, ses aventures en Italie. Je les observai discrètement un moment et je décelai dans leur regard cette petite flamme qui s'allume dans les yeux des nouveaux amoureux...

Mes deux meilleurs amis allaient-ils être foudroyés par la flèche de Cupidon?

Comme ce serait génial de repartir en voyage tous les quatre à la découverte du monde...

À la fin du repas, pendant que Maëva racontait une partie de notre voyage à Zirka, Julien me fit une confidence :

— J'ai eu beaucoup de peine quand tu m'as quitté, tu sais. Mais j'ai compris que tu avais raison, que nous n'étions que des amis. Et maintenant, je suis heureux de voir que tu es amoureuse.

— Il est merveilleux, dis-je en regardant Zirka. Et Maëva est tout simplement géniale. Je suis si heureuse de vous avoir tous les trois autour de moi.

Zirka et Maëva avaient cessé de parler et entendirent ma dernière phrase.

— Moi aussi, je t'aime, Morgane ! déclara Maëva, avant de se lever et de me faire un gros câlin.

Zirka et Julien se levèrent également et vinrent se serrer contre nous, nous enlaçant.

— Nous aussi, on t'aime, Morgane…, insista Julien en riant.

Je me laissai envelopper par tout cet amour. Et je fermai les yeux…

Moi qui croyais que ce dont mon âme avait besoin était d'être sans attaches, je venais de comprendre que j'avais eu tort.

J'avais besoin d'attaches, et je jetai l'ancre ce soir-là.

J'avais envie de plonger mes racines profondément dans la terre pour y trouver enfin la stabilité et avoir ainsi le bonheur de m'élever bien haut vers le ciel, comme l'arbre majestueux.

La liberté ne consistait pas à me laisser porter au gré du vent.

La liberté, je la trouverais non pas en m'éloignant des gens que j'aimais, mais en laissant à mon cœur le droit d'aimer.

C'était en étant cet arbre solide et droit que je parviendrais à m'élever au-dessus de la souffrance du monde et que j'atteindrais enfin l'immensité bleue du ciel...

J'avais ouvert la porte des mystères et j'y avais rencontré l'un des secrets de la vie : j'allais souffrir, j'allais vieillir et j'allais mourir, alors, il ne me restait qu'à aimer le plus fort possible pour que la beauté, la magie et le sacré deviennent partie intégrante de ma vie.

Merci, la vie !

La production du titre *Morgane, Starlette américaine* sur 1 752 lb de papier FSC-SILVA 106M plutôt que sur du papier vierge aide l'environnement des façons suivantes :

Arbres sauvés : 15

Évite la production de déchets solides de 429 kg

Réduit la quantité d'eau utilisée de 40 604 L

Réduit les émissions atmosphériques de 943 kg

C'est l'équivalent de :

Arbre(s) : 0,3 terrain(s) de football américain

Eau : douche de 1,9 jour(s)

Émissions atmosphériques : émissions de 0,2 voiture(s) par année

Marquis imprimeur inc.

Québec, Canada